2025年度版

TAC税理士講座

税理士受験シリーズ

26

消費税法

総合計算問題集 基礎編

TAC出版

TAC PUBLISHING Group

はじめに

　消費税法の税額計算は、売上げに係る消費税額から仕入れに係る消費税額を控除して求めるものである。そこで、消費税法は、まず売上げ（収入）に係る取引及び仕入れ（支出）に係る取引を課税取引、免税取引、非課税取引、不課税取引に分けることから始まる。次に、課税標準となるもの及び課税仕入れ等となるものの把握である。そして、課税標準額や課税期間における課税売上高、課税売上割合を求め、その課税仕入れ等に係る消費税額が全額控除できるのか、按分計算が必要なのかをチェックするという手順である。

　本書を完璧にマスターすれば、計算問題に関して基礎力を身に付け、合格のための土台作りができる。

ＴＡＣ税理士講座

本書の特長

1 計算問題についての基礎力の養成

　本書は、合格に必要な基礎力を身に付けることができるように配慮して作問しています。収録した問題は、受験上必要な規定だけを使用しており、また、解答のプロセスが理解できるように、詳しい解答への道または条文番号、基本通達番号を掲載しています。

2 制限時間を明示

　問題にはすべて標準的な解答時間を制限時間として付しています。制限時間内の解答を目標としてください。

3 最新の改正に対応

　最新の税法等の改正等に対応しています。

（令和6年7月現在の施行法令に準拠）

4 難易度を明示

　問題ごとに、難易度を付しています。到達レベルにあわせて問題を選択することができます。

　　Aランク…基本問題

　　Bランク…やや難しい問題

　　Cランク…本試験レベルの難しい問題

5 本試験の出題の傾向と分析を掲載

　最新の第74回（2024年実施）を含めた、本試験の出題傾向と分析を掲載しています。学習を進めるにあたって、参考にしてください。

本書の利用方法

1 問題を解くに際しての心構え

　本試験の計算問題は総合問題1題を基本としていますが、平成22年度、平成26年度、平成27年度、平成29年度から令和6年度は、2題形式の出題でした。また、初年度の第39回から第51回まではいずれも基本的事項からの出題で、納付税額まで合わせることのできるものだったことや、また、計算の難易度の上がった第52回以降の本試験においても、基本的な部分についての正確な解答が必要だったことを考えると、計算をしっかりとやらなければ合格は難しいといえます。

2 第一段階

　制限時間を意識し、実際に電卓とペンを使用し、体で解くようにしましょう。

3 第二段階

　間違いのチェックを行い、理解不足なのか、ケアレスミスなのかを分析し把握しましょう。さらに、間違った箇所については、掲載してある解説を読み、理解しましょう。

4 第三段階

　間違えた問題を中心に、何回も練習し、完璧にし、スピードを付けましょう。

5 チェック欄の利用方法

　目次には問題ごとにチェック欄を設けてあります。実際に問題を解いた後に、日付、得点、解答時間などを記入することにより、計画的な学習、弱点の発見ができます。

6 答案用紙の利用方法

　「答案用紙」は、ダウンロードでもご利用いただけます。Cyber Book Store（TAC出版書籍販売サイト）の「解答用紙ダウンロード」にアクセスしてください。

https://bookstore.tac-school.co.jp

目 次

問題番号	出題内容	制限時間	難易度	問題頁数	解答頁数	解答時間／得点 1回目	2回目	3回目
1	原則課税	40分	A	3	79			
2	原則課税　仕入れ（積上げ計算）	50分	A	7	84			
3	原則課税　転用	50分	A	13	89			
4	原則課税　著しい変動	65分	B	19	96			
5	原則課税　製造業	55分	B	26	103			
6	原則課税　仕入れ（積上げ計算）　転用	50分	B	35	112			
7	原則課税　仕入れ（積上げ計算）　著しい変動	65分	B	44	120			
8	原則課税　製造業	55分	B	51	128			
9	簡易課税	40分	A	63	135			
10	簡易課税	50分	B	70	143			

出題の傾向と分析

計算問題

① 過去の出題内容

	第66回	第67回		第68回		第69回		第70回		第71回		第72回		第73回		第74回	
Ⅰ 出題形式																	
1 個別問題						○		○		○							
2 総合問題																	
(1) 税込み・税抜き	込み	抜き	込み	込み	込み	込み	込み	込み	込み	込み	込み	込み	込み	込み	込み	込み	込み
(2) 事業者	法人	個人	法人	法人	法人	法人	法人	法人	法人	個人	法人	法人	法人	法人	法人	法人	個人
(3) 業種	切断加工販売業及び不動産賃貸業並びに不動産売買業	獣医業	製造設備の設計・製作及び販売業	鞄と雑貨の販売業	衣料品販売業	不動産業	ITサービス業	機械部品の製造業及び自動車修理業	電気工事業	酒類等小売業及び不動産賃貸業	不動産賃貸業	飲食店業	食パンの製造販売業	調剤薬局、通所介護施設等、化粧品販売業	不動産業	ブランド品の買取・販売業	不動産賃貸業及び洋菓子の製造小売業
Ⅱ 基準期間																	
1 納税義務の判定	○	○	○	○	○	○	○		○	○		○	○				
2 簡易課税の判定の有無		○	○	○					○				○				
3 簡易課税の適用の有無		○		○					○				○				
4 基準期間が一年ではない他				○		○	○					○	○		○		
5 前期以前・翌期の納税義務の判定							○					○	○				
Ⅲ 課税売上高																	
1 売上高																	
(1) 第一種		○		○					○				○				
(2) 第二種		○		○					○				○				
(3) 第三種									○				○				
(4) 第四種		○							○								
(5) 第五種		○							○								
(6) 第六種				○									○				
(7) 免税売上高			○				○	○						○			
2 その他の収入																	
(1) 固定資産売却																	
・ 土地等以外				○				○	○				○	○			
・ 一括譲渡	○			○		○									○		
・ 未経過固定資産税	○																

	第66回	第67回	第68回	第69回	第70回	第71回	第72回	第73回	第74回
(2) 有価証券売却 （ゴルフ場利用株式）							○		
(3) 受取地代									
(4) 受取家賃			○	○		○		○	○
(5) 駐車場収入		○				○		○	
(6) 入会金収入									
(7) 会費収入									
(8) 貨物保管料収入									
(9) 権利金・保証金						○			
(10) 自由診療		○						○	
3 みなし譲渡						○			○
4 低額譲渡				○					
5 負担付き贈与		○							
IV 特定課税仕入れ			○				○		
V 非課税売上高									
1 受取利息	○		○	○	○		○	○	○
2 受取地代			○	○					
3 受取家賃	○		○	○		○		○	○
4 社宅使用料収入			○	○			○	○	○
5 土地等売却	○			○	○			○	
6 有価証券等売却				○	○ （暗号資産）			○	
7 出資持分の譲渡				○					
8 身体障害者用物品の譲渡					○				
9 社会保険診療								○	
10 現物出資									
11 現先取引									
12 損害賠償金	○			○					
13 収用	○								
VI 控除過大調整税額									
1 貸倒回収に係る税額							○		
VII 課税売上割合等									
1 課税売上割合	端数		端数	端数	端数	端数	端数	端数	端数
(1) 非課税資産の輸出			○	○			○	○	○

	第66回	第67回	第68回	第69回		第70回	第71回	第72回	第73回		第74回	
(2) 資産の国外移送	○			○		○			○			
2 課税売上割合に準ずる割合							○					
3 通算課税売上割合				○					○			
Ⅷ 控除対象仕入税額												
1 全額控除												○
2 共通対応の指定の有無	無	無	無	無	無	無	無	無	無	無	無	無
3 商品関連		課	課				課		課・共		課	○
(1) 棚卸資産の調整	課								課・共			
(2) 引取りに係る税額	課	課	課			課		課				
・ 未納消費税												
4 販売費及び一般管理費												
(1) 荷造運搬費			課				課					○
・ 免税仕入れ			○									
(2) 広告宣伝費												
・ 国内	共	課	課			課・共	課・共	課・共	課非共		課非共	○
・ 国外		○										
(3) 給与に含まれるもの												
・ 通勤手当		共	課・共			共	課・共	課・共			共	○
・ 派遣料		共							課			
・ 出張の日当	課											
(4) 福利厚生費	共	共	課・共	共			共	共	非・共		共	○
・ 社会保険料等		○	○				○	○	○		○	○
・ 祝い金, 見舞金	○	○	○									
・ 従業員慰安旅行費用	共			○		共			共			
(5) 旅費交通費												
・ 国内	共	共	課・共			共	課・共	共				○
・ 国際	○	○				○						
(6) 会議費												
(7) 事務用消耗品費、消耗品費	課・共	共	共				非・共	課・共				○
(8) 通信費												
・ 国内	共	共	課・共				共	課・共				○
・ 国際								○				

	第66回	第67回	第68回	第69回	第70回	第71回	第72回	第73回	第74回	
(9) 接待交際費		課	共			課・共	課・共	共	課非共	○
・ 商品券、ビール券		○	○							
・ 祝い金、見舞金、慶弔金		○				○	○	○		
・ 費途不明金								○		
・ ゴルフ場利用税・入湯税		○	○							
(10) 寄附金等										
・ 現金による寄附										
・ 現物による寄附									課・共	
・ 贈 与										
(11) 地代家賃			課・共			課・共	課・共	課・共	共	○
(12) 水道光熱費		課	課・共			課・共	課非共			○
(13) 支払手数料			課非共	課・共			課・共			○
(14) リース料(賃借料)	非	課	課・共				課・共	課非共		○
(15) 修繕費	課・非	課					課	課非共	共	
(16) 諸会費				共						
(17) 燃料費	課・共									
5 その他の費用										
(1) 固定資産売却手数料・建物取壊費用			共							
(2) 有価証券売買手数料					非					
6 取得資産の対価										
(1) 車 両										
(2) 消耗品、事務用備品	共			課						○
(3) マンション										
(4) 機械装置	課				課					
7 特定課税仕入れ			課				共			
8 仕入れに係る対価の返還等										
(1) 値 引	課		課		課	課	課	課・共	課	
(2) 戻 し						課	課			○
(3) 割 戻										
(4) 販売奨励金										
(5) 事業分量配当金										

	第66回	第67回	第68回	第69回	第70回	第71回	第72回	第73回	第74回
Ⅸ　調整対象固定資産									
1　転用　(1) 課税→非課税									
(2) 非課税→課税						○			
(3) 転用なし					○				
2　変動　(1) 著しく増加									
(2) 著しく減少				○				○	
(3) 変動しない									
(4) 第3年度に該当しない				○			○		
Ⅹ　居住用賃貸建物						○			
Ⅺ　特定収入に係る調整									
Ⅻ　簡易課税制度による控除税額		○	○				○		
ⅩⅢ　売上げに係る対価の返還等に係る消費税額									
1　値　引		○	○	○	○		○	○	○
2　戻　り		○	○	○			○	○	
3　割　戻	○								
4　割　引									○
5　販売奨励金									
ⅩⅣ　貸倒れに係る税額									
1　貸付金								○	
2　売掛金(未収金)	○	○			○		○	○	
3　1、2以外の債権									
4　前期以前免税事業者			○				○		
ⅩⅤ　その他									
1　中間申告書の提出	○	○	○	○	○	○	○	○	○
2　中間申告による納付税額計算	○	○		○	○	○	○	○	○
3　合併があった場合の中間申告	○								
4　届出等　(1) 9条(課税事業者の選択)									

	第66回	第67回	第68回	第69回	第70回	第71回	第72回	第73回	第74回
(2) 30条(課税売上割合に準ずる割合)						○			
(3) 37条(簡易課税制度)		○	○		○		○		
5 経過措置									
6 軽減税率					○	○	○	○	○ ○
XVI インボイス制度									
1 積上げ計算(売上)									
2 積上げ計算(仕入)									
3 80%控除								○	○
4 少額特例								○	○
5 2割特例									○

(注) 課 …… 課税資産の譲渡等にのみ要する課税仕入れ等に該当するもの

　　　非 …… その他の資産の譲渡等にのみ要する課税仕入れ等に該当するもの

　　　共 …… 課税資産の譲渡等とその他の資産の譲渡等とに共通して要する課税仕入れ等に該当するもの

② **出題形式**

　近年の計算問題の出題形式は、損益計算書による問題に、付記事項があり、それについて消費税法上の処理を加えた後、納付すべき消費税額を求めるというパターンとなっている。

　また、平成17年（第55回）、平成22年（第60回）、平成24年（第62回）、平成26年（第64回）、平成29年（第67回）、令和３年（第71回）及び令和６年（第74回）は個人事業者、平成20年（第58回）は公益法人の問題であり、収支等の明細による問題に、付記事項がある、という形式であった。

　なお、平成９年（第47回）、平成11年（第49回）、平成13年（第51回）及び平成22年（第60回）は簡易課税の計算問題であり、平成24年（第62回）、平成26年（第64回）、平成27年（第65回）、平成29年（第67回）、平成30年（第68回）、令和２年（第70回）及び令和４年（第72回）は、原則課税と簡易課税の両方が出題された。また、令和６年（第74回）はインボイス制度を反映した出題であった。

③ **傾向と対策**

　答案用紙は、平成元年（第39回）から平成７年（第45回）までは37行用紙５枚添付というものであった。平成８年（第46回）から令和６年（第74回）は申告書形式の解答欄指定の用紙であり、今後も申告書形式の答案用紙ということも考えられ、計算パターンをしっかり頭に入れておく必要がある。また、平成30年（第68回）までの答案用紙はＢ４サイズであったが令和元年（第69回）からＡ４サイズに変更された。

　そこで、本試験においては次の論点に注意を払っていただきたい。

イ　取引区分

ａ　課税取引

b　免税取引

　　c　非課税取引

　　d　不課税取引

ロ　課税仕入れ等

　　問題を読んで次の3つに区分できるようにすること。

　　a　課税資産の譲渡等にのみ要するもの

　　b　その他の資産の譲渡等にのみ要するもの

　　c　共通して要するもの

ハ　課税売上割合

　　割り切れないときは分数のまま使用すること。

ニ　控除対象仕入税額

　　a　個別対応方式

　　b　一括比例配分方式

　　c　調整対象固定資産に係る消費税額の調整

ホ　簡易課税

　　課税仕入れ等の税額に関係なく売上げに係る消費税額から控除対象仕入税額を求める。

原則課税による計算パターン

（注1）各項目において、適用税率に留意する。

平成26年4月1日〜令和元年9月30日の取引・・・6.3%

（注2）課税売上割合が95%以上の場合には、当分の間、「特定課税仕入れ」はなかったものとする。

■原則課税による計算パターン

Ⅰ　納税義務の有無の判定（基準期間における課税売上高）

1　基準期間における課税売上高

(1)　課税資産の譲渡等

$$国内課税売上高（税込） \times \frac{100}{110} + 免税売上高$$

(2)　売上げに係る税抜対価の返還等

$$\begin{array}{c}国内課税売上\\返還等（税込）\end{array} \times \frac{100}{110} + 免税売上返還等$$

(3)　基準期間における課税売上高

(1)−(2)

※　基準期間が1年でない法人の場合

$$((1)-(2)) \times \frac{12}{基準期間の月数} \text{（分母で除し、12を乗ずる）}$$

Ⅱ　課税標準額に対する消費税額の計算等

2　課税標準額

(1)　7.8%分

①　課税資産の譲渡等

$$国内課税売上高の合計額（税込） \times \frac{100}{110} = XXX,XXX$$

②　特定課税仕入れ　　　　　　　　　　　　XXX,XXX

③　①＋②＝XXX,000円（千円未満切捨）

(2)　6.24%分

$$国内課税売上高の合計額（税込） \times \frac{100}{108} = XXX,XXX$$

$$→ XXX,000円（千円未満切捨）$$

(3)　(1)＋(2)＝　XXX,000円

3　課税標準額に対する消費税額

(1)　7.8％分　課税標準額　×　7.8％

(2)　6.24％分　課税標準額　×　6.24％

(3)　(1)＋(2)＝　XXX,XXX円

4　控除過大調整税額

(1)　7.8％分　領収した売掛金等の税込合計額　×　$\dfrac{7.8}{110}$

(2)　6.24％分　領収した売掛金等の税込合計額　×　$\dfrac{6.24}{108}$

(3)　(1)＋(2)＝　XXX,XXX円

Ⅲ　仕入れに係る消費税額の計算等

5　控除対象仕入税額

(1)　按分要否の判定

　①　課税期間における課税売上高

　　イ　課税資産の譲渡等の対価の額（千円未満切捨前）（上記2(1)①、(2)）＋免税売上高

　　ロ　国内課税売上（7.8％分）　×　$\dfrac{100}{110}$　＋　国内課税売上（6.24％分）　×　$\dfrac{100}{108}$
　　　　返　還　等（税込）　　　　　　　　　　の　返　還　等（税込）

　　　＋　免税売上返還等

　　ハ　イ－ロ $\begin{cases} \leqq & 500,000,000円　⇒　下記②（95％判定）へ \\ > & 500,000,000円　∴　按分必要（判定終了） \end{cases}$

　②　課税売上割合

　　イ　課税（上記①）

　　ロ　非課税

　　　　株式等・一定の金銭債権×5％＋その他の非課税売上高－非課税売上返還等

　　ハ

　　　　$\dfrac{イ＋非課税資産の輸出＋本船甲板渡し価格}{イ＋ロ＋本船甲板渡し価格}$

　　　＝　$\dfrac{XXX,XXX}{XXX,XXX}$ $\begin{cases} \geqq & 95％　∴　全額控除（判定終了） \\ < & 95％　∴　按分必要（判定終了） \end{cases}$

　　※　課税売上割合が割り切れないときは、分数のままで使用する。

(2) 課税仕入れ等の区分

① 課税資産の譲渡等にのみ要するもの（A対応）

イ　A対応の課税仕入れ

(イ) 7.8％分　課税仕入れの合計額$\times \dfrac{7.8}{110}$

(ロ) 6.24％分　課税仕入れの合計額$\times \dfrac{6.24}{108}$

(ハ) (イ)＋(ロ)＝XXX,XXX円

ロ　A対応の特定課税仕入れの合計額×7.8％

ハ　A対応の課税貨物に係る消費税額

ニ　A対応の棚卸資産

(イ) 7.8％分　棚卸資産$\times \dfrac{7.8}{110}$

(ロ) 6.24％分　棚卸資産$\times \dfrac{6.24}{108}$

(ハ) (イ)＋(ロ)＝XXX,XXX円

ホ　A対応の課税仕入返還等

(イ) 7.8％分　課税仕入返還等$\times \dfrac{7.8}{110}$

(ロ) 6.24％分　課税仕入返還等$\times \dfrac{6.24}{108}$

(ハ) (イ)＋(ロ)＝XXX,XXX円

ヘ　A対応の特定課税仕入返還等

特定課税仕入返還等×7.8％

ト　A対応の引取還付

② その他の資産の譲渡等にのみ要するもの（B対応）

①と同じ

③ 共通して要するもの（C対応）

①と同じ

④ 合　計

イ　課税仕入れの合計額

(イ) 7.8％分　課税仕入れの合計額$\times \dfrac{7.8}{110}$

(ロ) 6.24％分　課税仕入れの合計額$\times \dfrac{6.24}{108}$

(ハ) (イ)＋(ロ)＝XXX,XXX円

ロ　特定課税仕入れの合計額×7.8％

ハ　課税貨物に係る消費税額

ニ　棚卸資産

　　イ　7.8％分　棚卸資産×$\dfrac{7.8}{110}$

　　ロ　6.24％分　棚卸資産×$\dfrac{6.24}{108}$

　　ハ　イ＋ロ＝XXX,XXX円

ホ　課税仕入返還等

　　イ　7.8％分　課税仕入返還等×$\dfrac{7.8}{110}$

　　ロ　6.24％分　課税仕入返還等×$\dfrac{6.24}{108}$

　　ハ　イ＋ロ＝XXX,XXX円

ヘ　特定課税仕入返還等

　　特定課税仕入返還等×7.8％

ト　引取還付

（積上げ計算）

(2)　課税仕入れ等の区分

　①　課税資産の譲渡等にのみ要するもの（A対応）

　　イ　A対応の課税仕入れ

　　　イ　7.8％分　消費税額等

　　　ロ　6.24％分　消費税額等

　　　ハ　イ＋ロ＝XXX,XXX円

　　　　　XXX,XXX円×78％

　　ロ　A対応の特定課税仕入れの合計額×7.8％

　　ハ　A対応の課税貨物に係る消費税額

　　ニ　A対応の棚卸資産

　　　イ　7.8％分　棚卸資産×$\dfrac{7.8}{110}$

　　　ロ　6.24％分　棚卸資産×$\dfrac{6.24}{108}$

　　　ハ　イ＋ロ＝XXX,XXX円

ホ A対応の課税仕入返還等

　　イ 7.8％分　消費税額等

　　ロ 6.24％分　消費税額等

　　ハ イ＋ロ＝XXX,XXX円

　　　　XXX,XXX円×78％

ヘ A対応の特定課税仕入返還等

　　特定課税仕入返還等×7.8％

ト A対応の引取還付

② その他の資産の譲渡等にのみ要するもの（B対応）

　　①と同じ

③ 共通して要するもの（C対応）

　　①と同じ

④ 合　計

イ 消費税額等の合計額×78％

ロ 特定課税仕入れの合計額×7.8％

ハ 課税貨物に係る消費税額

ニ 棚卸資産

　　イ 7.8％分　棚卸資産×$\dfrac{7.8}{110}$

　　ロ 6.24％分　棚卸資産×$\dfrac{6.24}{108}$

　　ハ イ＋ロ＝XXX,XXX円

ホ 課税仕入返還等

　　消費税額等の合計額×78％

ヘ 特定課税仕入返還等

　　特定課税仕入返還等×7.8％

ト 引取還付

(3) 個別対応方式

{①イ＋①ロ＋①ハ±①ニ－（①ホ＋①ヘ）－①ト｝＋（③イ＋③ロ＋③ハ±③ニ）

×課税売上割合－（③ホ＋③ヘ）×課税売上割合－③ト×課税売上割合

(4) 一括比例配分方式

（④イ＋④ロ＋④ハ±④ニ）×課税売上割合

－（④ホ＋④ヘ）×課税売上割合－④ト×課税売上割合

(5) 判　定

　　(3)と(4)のうちいずれか大きい方を選択

　※　居住用賃貸建物の判定

　　　課税仕入れ等に係る支払対価の額 $\times \dfrac{100}{110}$ ＝XXX,XXX円 ≧ 10,000,000円

　　　　　　　　　　　　∴ 居住用賃貸建物に該当するため、税額控除適用なし

(6) 仕入れに係る消費税額の調整（仕入時の税率が7.8%の場合）

　①　調整対象固定資産の判定

　　イ　課税仕入れに係る支払対価の額 $\times \dfrac{100}{110}$ ＝XXX,XXX円 ≧ 1,000,000円

　　　　　　　　　　　　　　　　　　　　　　　　　∴ 該当する

　　ロ　特定課税仕入れに係る支払対価の額＝XXX,XXX円 ≧ 1,000,000円　∴ 該当する

　　ハ　課税貨物に係る課税標準である金額＝XXX,XXX円 ≧ 1,000,000円　∴ 該当する

　②　著しい変動

　　イ　著しい変動の判定

　　(イ)　仕入れ時の課税売上割合

　　(ロ)　通算課税売上割合

　　(ハ)　判　定

　　　㋑　変動差　≧　5 %
　　　㋺　変動率　≧　50% 　 ∴ 著しい変動に該当する

　　ロ　調整税額

　　(イ)　調整対象基準税額

　　　a　課税仕入れに係る支払対価の額 $\times \dfrac{7.8}{110}$

　　　b　特定課税仕入れに係る支払対価の額×7.8%

　　　c　課税貨物に係る消費税額

　　(ロ)　仕入れ時の控除税額

　　　　調整対象基準税額　×　仕入れ時の課税売上割合

　　　※　全額控除の場合は、調整対象基準税額の合計額

　　(ハ)　通算課税売上割合による控除税額

　　　　調整対象基準税額　×　通算課税売上割合

　　(ニ)　調整税額

　　　　(ロ)と(ハ)の差額

③ 転　用

　　イ　調整対象税額

　　　　②ロ(イ)と同じ

　　ロ　調整税額

　　　(イ)　仕入れ等の日から1年以内の転用　　　　調整対象税額の全額

　　　(ロ)　仕入れ等の日から1年超2年以内の転用　調整対象税額 $\times \dfrac{2}{3}$

　　　(ハ)　仕入れ等の日から2年超3年以内の転用　調整対象税額 $\times \dfrac{1}{3}$

④　居住用賃貸建物

　　イ　居住用賃貸建物の判定

　　　　課税仕入れ等に係る支払対価の額 $\times \dfrac{100}{110}$ ＝XXX,XXX円 $\geqq$ 10,000,000円

　　　　　　　　　　　　　　　　　　　　　　　　　　　　　∴ 該当する

　　ロ　課税賃貸割合又は課税譲渡等割合

　　ハ　調整税額

　　　　課税仕入れ等の税額×課税賃貸割合又は課税譲渡等割合

(7)　控除対象仕入税額

　　(5)±変動による調整税額±転用による調整税額＋居住用賃貸建物の調整税額

6　返還等対価に係る税額

(1)　7.8％

　①　売上返還等

　　　売上げに係る対価の返還等の税込合計額 $\times \dfrac{7.8}{110}$

　②　特定課税仕入返還等

　　　特定課税仕入れに係る対価の返還等の合計額 $\times$ 　7.8％

(2)　6.24％

　　売上げに係る対価の返還等の税込合計額 $\times \dfrac{6.24}{108}$

(3)　(1)＋(2)＝XXX,XXX円

7　貸倒れに係る消費税額

(1)　7.8％分　貸倒れの税込合計額 $\times \dfrac{7.8}{110}$

(2)　6.24％分　貸倒れの税込合計額 $\times \dfrac{6.24}{108}$

(3)　(1)＋(2)＝XXX,XXX円

IV　差引税額の計算

8　差引税額

$$3 \; + \; 4 \; - \; (\; \underbrace{5 \; + \; 6 \; + \; 7}_{\text{控除税額小計}} \;) \; = \; \text{XXX,XXX} \; \rightarrow \; \underset{\text{（百円未満切捨）}}{\text{XXX,X00円}}$$

※　控除不足還付税額が生ずる場合は、百円未満切捨はしない。

V　中間納付税額の計算

9　中間申告

(1)　一　月

① $\dfrac{\text{直前の課税期間の確定消費税額}}{\text{直前の課税期間の月数}} = Ⓐ \begin{cases} > \; 4,000,000円 \quad \therefore \;\; 適用あり \\ \leqq \; 4,000,000円 \quad \therefore \;\; 適用なし \end{cases}$

② Ⓐ（百円未満切捨）×11回＝XXX,X00円

(2)　三　月

① $\dfrac{\text{直前の課税期間の確定消費税額}}{\text{直前の課税期間の月数}} \times 3 = Ⓑ \begin{cases} > \; 1,000,000円 \quad \therefore \;\; 適用あり \\ \leqq \; 1,000,000円 \quad \therefore \;\; 適用なし \end{cases}$

② Ⓑ（百円未満切捨）×3回＝XXX,X00円

(3)　六　月

① $\dfrac{\text{直前の課税期間の確定消費税額}}{\text{直前の課税期間の月数}} \times 6 = Ⓒ \begin{cases} > \; 240,000円 \quad \therefore \;\; 適用あり \\ \leqq \; 240,000円 \quad \therefore \;\; 適用なし \end{cases}$

② Ⓒ（百円未満切捨）

(4)　中間納付税額

(1)＋(2)＋(3)＝XXX,X00円

VI　納付税額の計算

10　納付税額

8　－　9　＝納付税額

簡易課税による計算パターン

> （注１）各項目において、適用税率に留意する。
>
> 　　　　平成26年４月１日〜令和元年９月30日の取引・・・6.3%
>
> （注２）当分の間、「特定課税仕入れ」はなかったものとする。

I　簡易課税の適用の判定

1　簡易課税の適用の判定

(1)　基準期間における課税売上高

原則課税と同様に計算する。

(2)　簡易課税の適用の判定

①　前課税期間末までに消費税簡易課税制度選択届出書の提出あり

②　基準期間における課税売上高 $\begin{cases} \leqq 5{,}000万円 & \therefore\ 簡易課税適用あり \\ > 5{,}000万円 & \therefore\ 簡易課税適用なし \end{cases}$

II　課税標準額に対する消費税額の計算等

2　課税標準額

（この段階で各業種別に区分して売上高を求め、合計すると便利である。）

(1)　第一種（以下、各業種同様に区分）

①　7.8%分　XXX,XXX

②　6.24%分　XXX,XXX

(2)　第二種

(3)　第三種

(4)　第四種

(5)　第五種

(6)　第六種

(7)　合　計

①　7.8%分　(1)①＋(2)①＋(3)①＋(4)①＋(5)①＋(6)①＝全業種の課税売上高

全 業 種 の 課税売上高 $\times \dfrac{100}{110} =$ XXX,XXX → XXX,000円（千円未満切捨）

②　6.24%分　(1)②＋(2)②＋(3)②＋(4)②＋(5)②＋(6)②＝全業種の課税売上高

全 業 種 の 課税売上高 $\times \dfrac{100}{108} =$ XXX,XXX → XXX,000円（千円未満切捨）

③　①＋②＝XXX,000円

3　課税標準額に対する消費税額

4　貸倒回収に係る消費税額

$\left.\right\}$ 原則課税と同様に計算する。

5 **返還等対価に係る税額**

   （この段階で各事業別に区分して返還等を求め、合計すると便利である。）

   (1) 第一種（以下、各業種同様に区分）

   ① 7.8％分　XXX, XXX

   ② 6.24％分　XXX, XXX

   (2) 第二種

   (3) 第三種

   (4) 第四種

   (5) 第五種

   (6) 第六種

   (7) 合　計

   ① 7.8％分　(1)①＋(2)①＋(3)①＋(4)①＋(5)①＋(6)①＝全業種の売上返還等

   全業種の売上返還等 $\times \dfrac{7.8}{110}$ ＝XXX, XXX

   ② 6.24％分　(1)②＋(2)②＋(3)②＋(4)②＋(5)②＋(6)②＝全業種の売上返還等

   全業種の売上返還等 $\times \dfrac{6.24}{108}$ ＝XXX, XXX

   ③ ①＋②＝全業種の売上返還等に係る消費税額

6 **貸倒れに係る消費税額**………原則課税と同様に計算する。

Ⅲ **仕入れに係る消費税額の計算**

7 **控除対象仕入税額**

   (1) 課税売上高（A）

   （各々、免税売上高を除き、計算値は「残額」で考える。）

   ① 第一種（A１）

   イ　7.8％課税 $\times \dfrac{100}{110}$ ＋6.24％課税 $\times \dfrac{100}{108}$ ＝ XXX, XXX

   ロ　7.8％課税売上返還等 $\times \dfrac{100}{110}$ ＋6.24％課税売上返還等 $\times \dfrac{100}{108}$ ＝ XXX, XXX

   ハ　イ－ロ＝第一種に係る課税売上高（以下、各業種同様に計算）

   ② 第二種（A２）

   ③ 第三種（A３）

   ④ 第四種（A４）

   ⑤ 第五種（A５）

   ⑥ 第六種（A６）

   ⑦ 合　計（A）

   ①＋②＋③＋④＋⑤＋⑥＝課税売上高

(2) 消費税額（B）

① 第一種（B1）

イ 7.8%課税 $\times \dfrac{7.8}{110}$ ＋ 6.24%課税 $\times \dfrac{6.24}{108}$ ＝ XXX, XXX

ロ 7.8%課税売上返還等 $\times \dfrac{7.8}{110}$ ＋ 6.24%課税売上返還等 $\times \dfrac{6.24}{108}$

＝ XXX, XXX

ハ イーロ＝ 第一種に係る消費税額（以下、各業種同様に計算）

② 第二種（B2）

③ 第三種（B3）

④ 第四種（B4）

⑤ 第五種（B5）

⑥ 第六種（B6）

⑦ 合 計（B）

① ＋ ② ＋ ③ ＋ ④ ＋ ⑤ ＋ ⑥ ＝ 売上げに係る消費税額

(3) 基礎税額

課税標準額に対する消費税額 ＋ 貸倒回収に係る消費税額

－ 売上げに係る対価の返還等に係る消費税額 ＝ XXX, XXX円（残額）

(4) 仕入税額

① 原 則

(3) $\times \dfrac{※}{B}$ ＝ XXX, XXX円

※ B1 × 90% ＋ B2 × 80% ＋ B3 × 70% ＋ B4 × 60%

＋ B5 × 50% ＋ B6 × 40%

② 特 例

(例) イ 特定1事業（第三種）

$\dfrac{A3}{A} \geqq 75\%$ ∴ 適用あり

(3) × 70% ＝ XXX, XXX円

ロ 特定2事業

(イ) 第一種と第三種

$\dfrac{A1 ＋ A3}{A} \geqq 75\%$ ∴ 適用あり

(3) $\times \dfrac{※}{B}$ ＝ XXX, XXX円

※ B1 × 90% ＋（B － B1）× 70%

㈡　第二種と第三種

$$\frac{A2 + A3}{A} \geq 75\% \quad \therefore \quad \text{適用あり}$$

　⑶　$\times \dfrac{※}{B} = \text{XXX, XXX円}$

　　　※　B2 × 80% ＋（B － B2）× 70%

　（注）その他の特例については明らかに不利であるため判定省略

　　　（判定省略のものは必ずコメントを付すこと）

⑸　判　定

　⑷の税額のうち最も有利なもの（大きいもの）を選択する。

Ⅳ　差引税額の計算 ⎫
Ⅴ　中間納付税額の計算 ⎬　原則課税と同様に計算する。
Ⅵ　納付税額の計算 ⎭

問題編

TAX ACCOUNTANT

問 題 1

制限時間	40分
難 易 度	A

　次の〔資料〕により、家電商品の卸売業を営む甲株式会社（適格請求書発行事業者に該当する。以下「甲社」という。）の令和7年4月1日から令和8年3月31日までの当課税期間（事業年度）における納付すべき消費税額を、その計算過程（判断を要する部分については、その理由を含む。）を示して計算しなさい。

　なお、課税標準額に対する消費税額の計算に当たっては消費税法第45条第5項《消費税額の積上げ計算》の適用を受けないものとする。

　また、課税仕入れに係る消費税額の計算に当たっては消費税法施行令第46条第3項《総額割戻し方式》の適用を受けることとする。

〔計算に当たっての前提事項〕

(1)　会計帳簿における経理は、すべて消費税及び地方消費税込みの金額により処理している。

(2)　取引等は、特に断りのある場合を除き、

　・　国内において行われたものとする。

　・　他の者から受けた軽減対象課税資産の譲渡等は無いものとする。

　・　収入及び支出において消費税等の経過措置により旧税率が適用される取引は無いものとする。

(3)　甲社は、帳簿及び適格請求書等（その写しを含む。）を適正に保存しているものとする。

(4)　納付すべき消費税額の計算に当たり、適用される計算方法が2以上ある事項については、それぞれの計算結果を示し、当課税期間における納付すべき消費税額が最も少なくなる方法を採用するものとする。なお、当課税期間において個別対応方式を適用するための区分は正しく行われている。

(5)　売上値引及び売上割引については、適格返還請求書に記載した消費税額は使用しない割戻し方式により計算するものとする。

〔資　料〕

　1　甲社は、設立以来前課税期間まで課税事業者に該当し、当課税期間中に中間申告をした消費税額は4,500,000円である。

　2　甲社の当課税期間分の損益計算書は次のとおりである。

自令和7年4月1日　至令和8年3月31日　　　　（単位：円）

I　売　　上　　高

　　　総　売　上　高　　　　　　　　　493,675,000

　　　売　上　値　引　　　　　　　　　　9,720,000　　　　　483,955,000

II　売　上　原　価

　　　期 首 商 品 棚 卸 高　　　　　　　3,000,000

　　　当 期 商 品 仕 入 高　　　　　　244,464,000

　　　　　合　　計　　　　　　　　　247,464,000

　　　期 末 商 品 棚 卸 高　　　　　　　3,500,000　　　　　243,964,000

　　　　売　上　総　利　益　　　　　　　　　　　　　　　239,991,000

III　販売費及び一般管理費

　　　役　員　報　酬　　　　　　　　　21,200,000

　　　従 業 員 給 与 手 当　　　　　　38,800,000

　　　福　利　厚　生　費　　　　　　　7,254,000

　　　接　待　交　際　費　　　　　　　6,500,000

　　　荷　造　運　搬　費　　　　　　　2,474,000

　　　地　代　家　賃　　　　　　　　　　936,000

　　　減　価　償　却　費　　　　　　　7,000,000

　　　租　税　公　課　　　　　　　　10,100,000

　　　そ　の　他　の　費　用　　　　　9,072,000　　　　　103,336,000

　　　　営　　業　　利　　益　　　　　　　　　　　　　　136,655,000

IV　営　業　外　収　益

　　　受　取　利　息　　　　　　　　　1,000,000

　　　受　取　配　当　金　　　　　　　　655,000

　　　受　取　地　代　　　　　　　　　3,000,000

　　　受　取　家　賃　　　　　　　　24,000,000

　　　償 却 債 権 取 立 益　　　　　14,420,000

　　　雑　　収　　入　　　　　　　　　1,750,000　　　　　44,825,000

V　営　業　外　費　用

　　　支　払　利　息　　　　　　　　　1,920,000

　　　売　上　割　引　　　　　　　　　6,480,000

　　　貸　倒　損　失　　　　　　　　　5,000,000　　　　　13,400,000

　　　　経　　常　　利　　益　　　　　　　　　　　　　　168,080,000

VI 特 別 利 益		
有 価 証 券 売 却 益	55,000,000	
固 定 資 産 売 却 益	27,800,000	82,800,000
VII 特 別 損 失		
有 価 証 券 売 却 手 数 料	1,492,500	
固 定 資 産 売 却 手 数 料	3,390,000	
車 両 売 却 損	300,000	5,182,500
税 引 前 当 期 利 益		245,697,500

3 損益計算書の内容について付記すべき事項は次のとおりである。

(1) 「総売上高」は、すべて国内の事業者に対して販売した商品に係るものであり、非課税取引に係るものは含まれていない。

(2) 「売上値引」は、当課税期間の商品売上げに係るものである。

　なお、甲社は売上げの値引きにつき、すべて「売上値引」勘定で処理している。

(3) 「当期商品仕入高」は、すべて国内において仕入れたものである。

(4) 「従業員給与手当」には、従業員に支給した通勤手当3,960,000円及び住宅手当2,240,000円が含まれている。

(5) 「福利厚生費」には、事業主負担の社会保険料4,754,000円、従業員に支給した結婚祝い金（現金によるもの）200,000円及び従業員慰安のための国内旅行費用800,000円が含まれており、残額はすべて課税仕入れに該当する。

(6) 「接待交際費」の内訳は、次のとおりである。

　① 接待飲食費　　　　4,900,000円

　② 贈答用品の購入代金　1,500,000円（うち贈答用の商品券の購入代金1,000,000円）

　③ 得意先社長に対する香典　100,000円（現金によるもの）

(7) 「荷造運搬費」の内訳は、次のとおりである。

　① 販売商品に係る国内運賃及び荷造費　　　2,150,000円

　② 運送貨物に係る甲社負担の保険料　　　　324,000円

(8) 「地代家賃」は、従業員用保養所の賃借料である。（下記(13)②参照）

(9) 「その他の費用」のうち、課税仕入れの金額は7,400,000円である。

(10) 販売費及び一般管理費に属する勘定科目で、「従業員給与手当」、「福利厚生費」、「接待交際費」及び「その他の費用」のうち課税仕入れとなるものは、課税資産の譲渡等とその他の資産の譲渡等に共通して要する課税仕入れに該当する。

(11) 「受取利息」は、国内銀行の預金に係るものである。

(12) 「受取地代」は、甲社が国内に保有する土地の貸付けに係るものであり、契約による貸付期間は1ヵ月以上である。

(13) 「受取家賃」の内訳は、次のとおりである。

   ① 倉庫として貸し付けている建物に係るもの   23,532,000円

   ② 従業員に低額で貸し付けている保養所に係るもの   468,000円

(14) 「償却債権取立益」は、前々課税期間の国内商品売上げに係る売掛金を前課税期間に貸倒れとして処理したものが当課税期間に回収できたことにより計上したものである。

(15) 「雑収入」は、商品運搬中の事故により加害者から受け取った損害賠償金である。

    なお、商品は使用できないため、すべて廃棄している。

(16) 「売上割引」は、当課税期間に発生した売掛金が期日よりも早く回収できたことにより計上したものである。

(17) 「貸倒損失」は、税法上の貸倒れの事実により前課税期間における国内商品売上げに係る売掛金10,000,000円の2分の1の切捨てがあったことに伴い処理したものである。

(18) 「有価証券売却益」は、上場株式を売却したものであり、売却価額100,000,000円から帳簿価額45,000,000円を控除した金額である。なお、当該株式は国内の振替機関で取扱うものである。

(19) 「固定資産売却益」は、土地の売却価額111,000,000円から帳簿価額83,200,000円を控除した金額である。

(20) 「有価証券売却手数料」は、上記(18)の上場株式の売却に係るものである。

(21) 「固定資産売却手数料」は、上記(19)の土地の売却に係るものである。

(22) 「車両売却損」は、売却価額800,000円と売却した車両の帳簿価額1,100,000円との差額を計上したものである。

4 その他の事項

(1) 甲社は、応接室の絵画(購入価額920,000円、時価750,000円)を甲社の役員Aに贈与しているが、未処理である。

(2) 甲社は、商品(販売価額1,050,000円、仕入価額420,000円)を甲社の役員Bに贈与しているが、未処理である。

⇒解答：79ページ

問 題 2	制限時間 50分
	難 易 度　A

　甲株式会社（適格請求書発行事業者に該当する。以下「甲社」という。）は、日用品（以下「商品」という。）の卸・小売業を営んでいるが、甲社の令和6年10月1日から令和7年9月30日までの当課税期間（事業年度）における取引等の状況は、次の〔資料〕のとおりである。これに基づき、当課税期間における納付すべき消費税額をその計算過程（判断を要する部分については、その理由を含む。）を示して計算しなさい。

　なお、課税標準額に対する消費税額の計算に当たっては消費税法第45条第5項《消費税額の積上げ計算》の適用を受けないものとし、課税仕入れに係る消費税額の計算に当たっては消費税法施行令第46条第1項《課税仕入れに係る請求書等による消費税額の積上げ計算》の適用を受けることとする。

〔計算に当たっての前提事項〕

(1) 消費税額の計算に当たって、適用される計算方法が2以上ある事項については、それぞれの計算方法による計算結果を示し、当課税期間における納付すべき消費税額が最も少なくなる方法を採用するものとする。

(2) 会計帳簿による経理は、すべて消費税及び地方消費税込みの金額により処理している。

(3) 取引等は、特に断りのある場合を除き、

　・　国内において行われたものとする。

　・　他の者から受けた軽減対象課税資産の譲渡等は無いものとする。

　・　収入及び支出において消費税等の経過措置により旧税率が適用される取引は無いものとする。

(4) 甲社は、帳簿及び適格請求書等（その写しを含む。）を適正に保存しているものとする。

(5) 売上値引及び戻り高に係る消費税額については、適格返還請求書に記載した消費税額を使用しない方法により計算（割戻し計算）するものとする。

(6) 仕入値引及び戻し高に係る消費税額については、適格返還請求書に記載された消費税額により計算（積上げ計算）するものとする。

(7) 「消費税額等」とは、甲社が発行した又は受領した適格請求書等に記載の消費税額等の合計額をいう。

〔資　料〕

1　甲社の当課税期間において中間申告した消費税額は16,437,600円である。

2　甲社の当課税期間の損益計算書の内容は次のとおりである。

損 益 計 算 書

自令和6年10月1日　至令和7年9月30日　　　　（単位：円）

I	売　上　高		
	総　売　上　高	3,185,574,678	
	売上値引及び戻り高	37,735,900	3,147,838,778
II	売　上　原　価		
	期首商品棚卸高	161,829,700	
	当期商品仕入高	2,274,211,700	
	仕入値引及び戻し高	88,076,400	
	合　　　計	2,347,965,000	
	期末商品棚卸高	141,667,600	2,206,297,400
	売　上　総　利　益		941,541,378
III	販売費及び一般管理費		
	役　員　報　酬	84,612,000	
	従業員給与手当	180,553,000	
	福　利　厚　生　費	28,792,500	
	商品荷造運送費	48,315,200	
	広　告　宣　伝　費	63,809,700	
	通　　信　　費	2,968,800	
	接　待　交　際　費	13,267,600	
	水　道　光　熱　費	6,425,280	
	旅　費　交　通　費	19,212,500	
	地　代　家　賃	8,520,000	
	減　価　償　却　費	3,711,330	
	寄　　附　　金	7,860,000	
	その他の費用	52,266,442	520,314,352
	営　業　利　益		421,227,026
IV	営　業　外　収　益		
	受　取　利　息	1,853,974	
	受　取　配　当　金	2,260,000	
	保養所利用料収入	1,503,000	
	社宅使用料収入	5,365,000	
	償却債権取立益	833,000	
	雑　　収　　入	4,860,000	16,674,974

V 営 業 外 費 用		
支 払 利 息	3,867,000	
貸 倒 損 失	1,562,000	5,429,000
経 常 利 益		432,473,000
VI 特 別 利 益		
有 価 証 券 売 却 益	2,700,000	
固 定 資 産 売 却 益	115,000,000	117,700,000
VII 特 別 損 失		
有 価 証 券 売 却 手 数 料	2,160,000	
固 定 資 産 売 却 損	68,500,000	70,660,000
税 引 前 当 期 利 益		479,513,000

3 損益計算書の内容に関して、付記すべき事項は次のとおりである。

(1) 「総売上高」の内訳は、次のとおりである（いずれも仕入商品に係る売上高であり、非課税取引に該当するものは含まれていない。）。

① 国内における課税売上高　　3,078,047,000円（うち消費税額等279,822,454円）

② 従業員に対して行った社内販売による売上高（甲社の商品をすべて60%引きで販売したもの）　　　　　　　　　　　　　　　　　　　　　　727,678円

③ 輸出免税となる売上高　　　　　　　　　　　　　　　　　　106,800,000円

(2) 「売上値引及び戻り高」は、当課税期間における国内商品売上げに対して行ったもの35,550,900円（うち消費税額等3,231,900円）及び当課税期間における輸出免税売上げに対して行ったもの2,185,000円の合計額である。

(3) 「当期商品仕入高」には、甲社が輸入し、保税地域から引き取った商品248,021,300円が含まれており、これ以外の金額2,026,190,400円（うち消費税額等184,199,127円）については国内における課税仕入れに該当するものである。

なお、上記金額248,021,300円には、保税地域からの引取りに際して税関に納付した消費税額17,586,900円及び地方消費税額4,960,400円が含まれている。

(4) 「仕入値引及び戻し高」の内訳は、次のとおりである。

① 国内における課税仕入れに係るもの　68,709,800円（うち消費税額等6,246,345円）
　　上記金額は、当課税期間における商品仕入高に係る値引額である。

② 輸入した商品に係るもの　　　　　　　　　　　　　　　　19,366,600円
　　上記金額は、上記(3)の輸入品について品違いであることが判明したため、国外の仕入先に返品したことに伴い仕入先から返還を受けた金額17,606,100円及び税関から還付を受けた消費税額1,373,200円並びに地方消費税額387,300円の合計額である。

(5) 「従業員給与手当」のうちには、人材派遣会社と労働者の派遣契約をした際に支払っ

た派遣料3,570,000円（うち消費税額等324,545円）が含まれている。

(6) 「福利厚生費」のうち、事業主負担の社会保険料及び労働保険料は22,135,800円であり、その他の金額の内訳は次のとおりである。

① 従業員慰安のための国内旅行費用　　　　　　　　　　　　　　　　4,231,700円

　　このうちには、宿泊旅館の予約変更に伴い支払った違約金150,000円及び消費税額等371,063円が含まれている。

② 従業員の慶弔に伴う祝い金、見舞金　　　　　　　　　　　　　　　　300,000円

③ 従業員の健康診断費用　　　　　2,125,000円（うち消費税額等193,181円）

(7) 「商品荷造運送費」の内訳は、次のとおりである。

① 輸出した商品に係る本社倉庫から国内の港までの運賃

　　　　　　　　　　　　　　　　2,637,000円（うち消費税額等239,727円）

② 輸出した商品に係る国内の港から国外の港までの運賃　　　　　　8,592,000円

③ 輸出した商品に係る国外の港から国外の得意先までの運賃　　　　1,855,500円

④ 輸出の許可を受けた商品の荷役及び保管料　　　　　　　　　　　　744,000円

⑤ 国内で販売した商品に係る国内運賃及び荷造費

　　　　　　　　　　　　　　　33,126,700円（うち消費税額等3,011,518円）

⑥ 運送貨物に係る甲社負担の保険料　　　　　　　　　　　　　　　1,360,000円

(8) 「広告宣伝費」は、店頭にて新商品の紹介イベントを行うために支払った金額であり、その内訳は次のとおりである。

① ポスター・チラシの制作費及び新聞折り込み広告料

　　　　　　　　　　　　　　　33,788,850円（うち消費税額等3,071,713円）

② 3,000円以上購入の顧客に対して行う抽選会の景品（デジタルカメラ1,810,000円（うち消費税額等164,545円）及び図書カード5,450,000円）を当課税期間に購入した費用

　　　　　　　　　　　　　　　　　　　　　　　　　　　　　　　7,260,000円

③ その他、抽選会場の設置に伴う費用（すべて課税仕入れに該当する。）

　　　　　　　　　　　　　　　22,760,850円（うち消費税額等2,069,168円）

(9) 「通信費」には、国際電話料金874,000円が含まれているが、これ以外の金額2,094,800円（うち消費税額等190,436円）はすべて国内の電話料金及び郵便料金である。

(10) 「接待交際費」の内訳は、飲食宿泊費（飲食に係るものはすべて外食代である。）5,763,000円（うち消費税額等523,909円）、贈答用のビールの購入費2,186,600円（うち消費税額等198,781円）、贈答用の商品券の購入費2,380,000円、取引先の慶弔に伴う花輪代80,000円（うち消費税額等7,272円）、祝い金・見舞金1,320,000円及びゴルフプレー費1,538,000円（うちゴルフ場利用税62,000円及び消費税額等134,181円）である。

(11) 「水道光熱費」6,425,280円（うち消費税額等584,116円）はすべて課税仕入れに該当

する。

(12) 「旅費交通費」には、海外出張における旅費2,215,600円が含まれているが、これ以外の金額16,996,900円（うち消費税額等1,545,172円）は国内出張に係る旅費である。

(13) 「地代家賃」は、従業員用社宅の賃借料である。

(14) 「減価償却費」のうちには、当課税期間に購入した商品運送用車両（取得価額1,800,000円（うち消費税額等163,636円））に係るもの459,900円が含まれている。

(15) 「寄附金」は、身体障害者更生施設に寄附した車いすの購入代金2,860,000円及び震災で被害にあった地域への現金による寄附5,000,000円の合計額である。

(16) 「その他の費用」のうち、課税仕入れに該当するものは45,632,500円（うち消費税額等4,148,409円）である。

(17) 販売費及び一般管理費に属する勘定科目で、「従業員給与手当」、「福利厚生費」、「通信費」、「接待交際費」、「水道光熱費」、「旅費交通費」、「寄附金」及び「その他の費用」のうち課税仕入れとなるものは、課税資産の譲渡等とその他の資産の譲渡等に共通して要する課税仕入れに該当する。

(18) 「受取利息」は、預金利息及び有価証券利息374,974円、貸付金利息900,000円及び割引債の償還差益579,000円の合計額である。

(19) 「受取配当金」のうちには、株式投資信託の収益分配金780,000円が含まれている。

(20) 「償却債権取立益」は、前々課税期間における国内のA社に対する国内商品売上げに係る売掛金について前課税期間に貸倒れ処理したものを当課税期間に回収した金額713,000円及び前々課税期間における国内のB社に対する輸出免税売上げに係る売掛金について前課税期間に貸倒れ処理したものを当課税期間に回収した金額120,000円の合計額である。

(21) 「雑収入」の内訳は、次のとおりである。
  ①　月極駐車場の使用料　　　　　　　　4,660,000円（うち消費税額等423,636円）
  ②　資材置き場として、土地を20日間貸し付けた際に収受した金額
　　　　　　　　　　　　　　　　　　　　200,000円（うち消費税額等18,181円）

(22) 「貸倒損失」は、前々課税期間における国内のC社に対する国内商品売上げに係る売掛金962,000円が貸倒れとなったもの及び当課税期間における国内のD社に対する貸付金600,000円が貸倒れとなったものの合計額である。

(23) 「有価証券売却益」及び「有価証券売却手数料」は、当課税期間において売却した上場株式（売却価額68,700,000円、帳簿価額66,000,000円）の売却益及び売却手数料2,160,000円（うち消費税額等196,363円）である。なお、当該株式は国内の振替機関で取扱うものである。

(24) 「固定資産売却益」は、国内に所在する土地（帳簿価額191,030,000円）を306,030,000

円で売却したことにより計上したものである。

(25) 「固定資産売却損」は、社宅として使用していた土地付建物（帳簿価額263,450,000円）を194,950,000円で売却したことにより計上したものである。なお、譲渡時における土地と建物の時価の比は、6対4である。

4 甲社の令和4年10月1日から令和5年9月30日までの前々課税期間（事業年度）及び令和5年10月1日から令和6年9月30日までの前課税期間（事業年度）における資産の譲渡等に関する取引の状況は次のとおりであるが、いずれの事業年度も消費税法第9条第1項《小規模事業者に係る納税義務の免除》及び同法第37条第1項《中小事業者の仕入れに係る消費税額の控除の特例》の規定の適用はない。

取引の状況		前々事業年度	前事業年度
Ⅰ	資産の譲渡等の金額	1,980,803,258円	2,584,161,617円
	Ⅰのうち非課税取引に係るもの	5,753,258円	6,480,617円
	Ⅰのうち免税取引に係るもの	79,120,000円	87,632,000円
Ⅱ	Ⅰの売上げに係る対価の返還等	29,430,000円	30,452,000円
	Ⅱのうち非課税取引に係るもの	0円	0円
	Ⅱのうち免税取引に係るもの	1,710,000円	1,983,000円

⇨解答：84ページ

　甲株式会社（適格請求書発行事業者に該当する。以下「甲社」という。）は、事務機器の製造業を営んでいるが、甲社の令和7年4月1日から令和8年3月31日までの当課税期間（事業年度）等における取引等の状況は次のとおりである。これに基づき、当課税期間における納付すべき消費税額を、その計算過程（判断を要する部分については、その理由を含む。）を示して計算しなさい。

　なお、課税標準額に対する消費税額の計算に当たっては消費税法第45条第5項《消費税額の積上げ計算》の適用を受けないものとする。

　また、課税仕入れに係る消費税額の計算に当たっては消費税法施行令第46条第3項《総額割戻し方式》の適用を受けることとする。

〔計算に当たっての前提事項〕

　(1) 会計帳簿における経理は、すべて消費税及び地方消費税込みの金額により処理している。

　(2) 取引等は、特に断りのある場合を除き、

　　・　国内において行われたものとする。

　　・　他の者から受けた軽減対象課税資産の譲渡等は無いものとする。

　　・　収入及び支出において消費税等の経過措置により旧税率が適用される取引は無いものとする。

　(3) 納付すべき消費税額の計算に当たって、適用される計算方法が2以上ある事項については、それぞれの計算方法による計算結果を示し、当課税期間における納付すべき消費税額が最も少なくなる方法を採用するものとする。

　(4) 設立以来前課税期間までは課税事業者に該当し、控除対象仕入税額の計算については、個別対応方式（消費税法第30条第2項第1号に規定する計算方法）を採用している。

　(5) 課税仕入れ及び特定課税仕入れ並びに保税地域からの引取りに係る課税貨物について、課税資産の譲渡等にのみ要するもの、課税資産の譲渡等以外の資産の譲渡等（以下「その他の資産の譲渡等」という。）にのみ要するもの及び課税資産の譲渡等とその他の資産の譲渡等に共通して要するもの（以下「共通課税仕入れ」という。）の区分については、特に記載があるものを除き、資産の譲渡等との対応関係が明確であるものは、課税資産の譲渡等にのみ要するもの又はその他の資産の譲渡等にのみ要するものとし、これら以外のものは共通課税仕入れとする。

　(6) 甲社は、帳簿及び適格請求書等（その写しを含む。）を、また、輸出取引については、それに係る証明書類を、それぞれ保存している。

　(7) 売上値引等・仕入値引等については、適格返還請求書に記載した又は記載された消費税

額は使用しない割戻し方式により計算するものとする。

〔資　料〕

1　甲社の当課税期間（事業年度）の損益計算書の内容は、次のとおりである。

損　益　計　算　書

（自令和7年4月1日　至令和8年3月31日）　　　　　（単位：円）

Ⅰ	売　　上　　高		
	総　売　上　高	545,392,000	
	売　上　値　引	12,574,800	532,817,200
Ⅱ	売　上　原　価		
	期首製品棚卸高	2,252,000	
	当期製品製造原価	386,806,000	
	合　　　　計	389,058,000	
	期末製品棚卸高	2,130,000	386,928,000
	売　上　総　利　益		145,889,200
Ⅲ	販売費及び一般管理費		
	役　員　報　酬	26,354,000	
	従業員給与手当	60,560,000	
	製品荷造運送費	5,440,000	
	福　利　厚　生　費	4,080,000	
	旅　費　交　通　費	954,000	
	広　告　宣　伝　費	2,622,000	
	接　待　交　際　費	4,538,000	
	支　払　家　賃	5,988,000	
	減　価　償　却　費	5,980,000	
	租　税　公　課	4,040,000	
	その他の費用	13,624,000	134,180,000
	営　業　利　益		11,709,200
Ⅳ	営　業　外　収　益		
	受　取　利　息	1,216,000	
	受　取　家　賃	25,982,000	
	雑　　収　　入	1,775,290	
	権利使用料収入	1,832,000	30,805,290

Ⅴ　営　業　外　費　用

支　払　利　息　　　　　　　　　　　1,760,000

手　形　売　却　損　　　　　　　　　　300,000

貸　倒　損　失　　　　　　　　　　1,186,000

売　上　割　引　　　　　　　　　　　402,000　　　　　　3,648,000

経　常　利　益　　　　　　　　　　　　　　　　　　38,866,490

Ⅵ　特　別　利　益

固　定　資　産　売　却　益　　　　　1,460,000　　　　　　1,460,000

Ⅶ　特　別　損　失

投資有価証券売却損　　　　　　　　2,560,000

有価証券売却手数料　　　　　　　　　680,400　　　　　　3,240,400

当　期　純　利　益　　　　　　　　　　　　　　　　　37,086,090

2　損益計算書の内容について付記すべき事項は次のとおりである。

(1)　「総売上高」の内訳は、次のとおりである。いずれも製造した製品に係る売上高であり、非課税取引に該当するものは含まれていない。

①　輸出免税となる売上高　　　　　　　　　　　　　　　152,172,000円

②　国内における課税売上高　　　　　　　　　　　　　　393,220,000円

　　上記金額には、甲社の役員Aに製品（通常の販売価額2,000,000円、製造原価1,119,500円（このうち課税仕入れの金額は890,600円である。））を引き渡し、それに伴い収受した金額800,000円が含まれている。

(2)　「売上値引」は、すべて当課税期間において行った国内における課税売上げに係るものである。

　　なお、甲社は、売上げの値引きについては、すべて売上値引勘定で処理しており、その明細を記録した帳簿は保存されている。

(3)　「当期製品製造原価」の内訳は、次のとおりである。

①　材料費　　　　　　　　　　　　　　　　　　　　　　194,010,000円

　　当課税期間における材料仕入高は189,442,700円であるが、このうちには、甲社が輸入し保税地域から引き取った材料分19,321,300円が含まれており、それ以外のものは国内における課税仕入れに該当する。なお、保税地域から引き取った材料の金額には、輸入の際税関に納付した消費税額1,100,000円及び地方消費税額310,200円、当課税期間中に引き取った課税貨物につき納期限の延長を受けて未納となっている消費税額270,000円及び地方消費税額76,100円が含まれている。

　　また、期首材料・仕掛品棚卸高は9,139,300円、期末材料・仕掛品棚卸高は4,572,000

—15—

円である。

② 労務費　　　　　　　　　　　　　　　　　　　　　　　　91,280,000円

　　上記金額には、通勤手当1,876,000円及び人材派遣会社に支払った派遣料2,970,000円が含まれている。

③ 経　費　　　　　　　　　　　　　　　　　　　　　　　　101,516,000円

　　上記金額には、外注加工費4,458,000円、減価償却費1,860,000円（このうちには、当課税期間において購入した工具（取得価額680,000円）に係るもの136,000円が含まれている。）及び外国法人Ｂ社に支払った商標権使用料2,880,000円（中国において登録されている。）が含まれており、これ以外の経費で課税仕入れに該当する金額は61,143,600円である。

(4) 「従業員給与手当」には、通勤手当5,766,000円及び住宅手当1,280,000円が含まれている。

(5) 「製品荷造運送費」は、いずれも販売製品に係るものであるが、その内訳は次のとおりである。

① 国内で販売した製品に係る国内運賃及び荷造費　　　　　　　1,494,000円

② 輸出した製品に係る甲社の倉庫から国内の指定保税地域までの運賃　1,620,000円

③ 輸出の許可を受けた製品に係る荷役費及び保管料　　　　　　726,000円

④ 輸出した製品に係る国内の港から国外の港までの運賃　　　　1,600,000円

(6) 「福利厚生費」の内訳は、次のとおりである。

① 甲社負担の社会保険料及び労働保険料　　　　　　　　　　　3,197,000円

② 役員及び従業員の健康診断費用　　　　　　　　　　　　　　637,000円

③ 従業員のための社内常備薬（すべて医薬品である。）の購入費用　246,000円

(7) 「旅費交通費」には、海外出張に係る旅費及び日当734,000円が含まれており、それ以外は共通課税仕入れに該当する。

(8) 「広告宣伝費」は、すべて国内の新聞社に依頼した製品広告の新聞折込料金である。

(9) 「接待交際費」には、取引先との外食代1,510,000円、取引先に対する贈答品代（すべて飲食料品であり、軽減税率の対象となる。）296,000円、取引先に対する慶弔金1,258,000円及び慶弔に伴う電報代18,000円が含まれており、残額はすべて役員に対する渡切交際費で精算を行わないものである。なお、課税仕入れとなるものは共通課税仕入れに該当する。

(10) 「支払家賃」の内訳は、次のとおりである。

① 製品保管用倉庫の賃借料　　　　　　　　　　　　　　　　　1,490,000円

② 本社事務所の賃借料　　　　　　　　　　　　　　　　　　　4,498,000円

　　なお、上記金額のうち1,440,000円は土地部分の賃借料として支払っている。

(11) 「租税公課」には、当課税期間に納付した消費税の中間納付額2,282,000円（消費税1,780,000円及び地方消費税502,000円）が含まれている。

(12) 「その他の費用」には、日本赤十字社へ寄付した金額150,400円が含まれており、それ以外で課税仕入れに該当する金額は10,680,000円である。なお、課税仕入れとなるものは共通課税仕入れに該当する。

(13) 「受取利息」は、預金利息422,000円及び外国法人D社（非居住者）に対する貸付金利息794,000円の合計額である。

(14) 「受取家賃」は、甲社が所有している6階建てビルの貸付けに係る賃貸料である。

　　なお、このビルについては、1階部分を店舗として、2階以上の部分を住宅として貸し付けており、受取家賃のうち8,658,000円は貸店舗の賃貸料である。

(15) 「雑収入」の内訳は、次のとおりである。

　① 当課税期間において行った国内における材料仕入金額が一定額に達したことにより、仕入先から金銭により収受した販売奨励金 　　　　　　　　　　1,376,290円

　② 製品につき損害を受けたことにより、その加害者（日本国内に居住する者である。）から収受した損害賠償金 　　　　　　　　　　399,000円

　　なお、この製品は、その損害が微少であったため、そのままの状態で当該加害者に引き渡されている。

(16)「権利使用料収入」は、甲社の製品製造に係る特許権（国内において登録されている。）を外国法人E社（非居住者）に貸し付けたことにより収受したものである。

(17)「手形売却損」は、約束手形を割り引いた際の割引料である。

(18)「貸倒損失」は、前課税期間に内国法人F社に貸し付けた貸付金が貸倒れとなったものである。

(19)「売上割引」は、当課税期間において行った国内における課税売上高に係るものである。

(20)「固定資産売却益」は、当課税期間において売却した国内に所在する更地（売却価額80,000,000円、帳簿価額78,540,000円）の売却益である。

(21)「投資有価証券売却損」及び「有価証券売却手数料」は、当課税期間において売却した株式（売却価額51,440,000円、帳簿価額54,000,000円）の売却損及び売却手数料である。なお、当該株式は国内の振替機関で取扱うものである。

3　その他の事項

(1) 甲社は、令和4年6月1日に購入した有価証券売買管理専用のコンピュータ（取得価額1,200,000円）を令和7年4月1日より、製品在庫管理専用にその使用目的を変更している。

(2) 当課税期間において、甲社の役員Gに対して、製品（通常の販売価額588,000円、製造原価329,000円（うち課税仕入れの金額263,000円である。））を贈与しているが未処理である。

4 甲社の当課税期間（事業年度）前における取引の状況

甲社は、設立以来前課税期間まで継続して消費税の納税義務者に該当しており、各課税期間に係る取引の状況は、次のとおりである。

取引の状況	自令和5年4月1日 至令和6年3月31日	自令和6年4月1日 至令和7年3月31日
Ⅰ　資産の譲渡等の金額	443,133,200円	388,489,800円
Ⅰのうち非課税取引に係るもの	240,728,000円	30,140,000円
Ⅰのうち免税取引に係るもの	8,178,000円	19,540,000円
Ⅱ　Ⅰの売上げに係る対価の返還等	669,600円	5,974,500円
Ⅱのうち非課税取引に係るもの	0円	0円
Ⅱのうち免税取引に係るもの	0円	0円

⇨解答：89ページ

問 題 4

甲株式会社（適格請求書発行事業者に該当する。以下「甲社」という。）は食料品（すべて軽減税率の対象となる。以下「食品」という。）・日用雑貨（以下「日用品」という。）の販売業を営んでいるが、甲社の令和7年4月1日から令和8年3月31日までの当課税期間（事業年度）等における取引等の状況は次の〔資料〕のとおりである。これに基づき、当課税期間における確定申告により納付すべき消費税額をその計算過程（判断を要する部分については、その理由を含む。）を示して計算しなさい。

なお、課税標準額に対する消費税額の計算に当たっては消費税法第45条第5項《消費税額の積上げ計算》の適用を受けないものとする。

また、課税仕入れに係る消費税額の計算に当たっては消費税法施行令第46条第3項《総額割戻し方式》の適用を受けることとする。

〔計算に当たっての前提事項〕

① 会計帳簿による経理は、すべて消費税及び地方消費税を含んだ金額により処理されている。

② 取引等は、特に断りのある場合を除き、

・ 国内において行われたものとする。

・ 他の者から受けた軽減対象課税資産の譲渡等は無いものとする。

・ 収入及び支出において消費税等の経過措置により旧税率が適用される取引は無いものとする。

③ 確定申告により納付すべき消費税額の計算に当たって、適用される計算方法が2以上ある事項については、それぞれの計算方法による計算結果を示し、当課税期間における納付すべき消費税額が最も少なくなる方法を採用するものとする。また、甲社は設立以来前課税期間まで、課税売上割合が95％未満となった場合又は課税期間における課税売上高が5億円を超える場合については、個別対応方式（消費税法第30条第2項第一号に規定する計算方法）により仕入れに係る消費税額の計算を行っており、当課税期間についても個別対応方式を適用するための課税仕入れの区分は正しく行われている。

④ 甲社は、消費税課税事業者選択届出書（消費税法第9条第4項に規定する届出書）及び消費税簡易課税制度選択届出書（消費税法第37条第1項に規定する届出書）を提出したことはない。

⑤ 甲社は、帳簿及び適格請求書等（その写しを含む。）を、また、輸出取引等については、取引を証する書類又は帳簿を、それぞれ適法に保存している。

⑥ 課税仕入れ及び保税地域からの引取りに係る課税貨物について、課税資産の譲渡等にのみ要するもの、課税資産の譲渡等以外の資産の譲渡等（以下「その他の資産の譲渡等」と

いう。）にのみ要するもの及び課税資産の譲渡等とその他の資産の譲渡等に共通して要する
もの（以下「共通課税仕入れ」という。）の区分については、特に記載があるものを除き、
資産の譲渡等との対応関係が明確であるものは、課税資産の譲渡等にのみ要するもの又は
その他の資産の譲渡等にのみ要するものとし、これら以外のものは共通課税仕入れとする。

⑦　売上値引については、適格返還請求書に記載した消費税額は使用しない割戻し方式によ
り計算するものとする。

⑧　「消費税額等」とは、甲社が発行した又は受領した適格請求書等に記載の消費税額等の
合計額をいう。

〔資　料〕

1　甲社の当課税期間前の取引等の状況

　　甲社の当課税期間（事業年度）前の取引の状況は次のとおりであるが、各事業年度とも
消費税法第9条第1項《小規模事業者に係る納税義務の免除》の規定の適用はない。

　　なお、表中の金額は税抜金額である。

取　引　の　状　況	前々事業年度 自令和5年4月1日 至令和6年3月31日	前事業年度 自令和6年4月1日 至令和7年3月31日
I　資産の譲渡等の金額	147,853,000円	280,596,000円
Iのうち非課税取引に係るもの	59,005,000円	933,000円
Iのうち免税取引に係るもの	18,362,000円	22,514,000円
II　Iの売上げに係る対価の返還等	2,342,600円	721,000円

2　甲社の当課税期間の損益計算書の内容は、次のとおりである。

損　益　計　算　書

（自令和7年4月1日　至令和8年3月31日）　　　　（単位：円）

I	売　　上　　高		
	総　売　上　高	457,222,000	
	売　上　値　引	566,000	456,656,000
II	売　上　原　価		
	期首商品棚卸高	30,421,000	
	当期商品仕入高	263,790,000	
	合　　　計	294,211,000	
	期末商品棚卸高	17,415,000	276,796,000
	売　上　総　利　益		179,860,000

Ⅲ　販売費及び一般管理費

役　員　報　酬	15,900,000	
従 業 員 給 与 手 当	47,476,000	
福　利　厚　生　費	8,119,000	
商 品 荷 造 運 送 費	6,867,000	
広　告　宣　伝　費	4,884,000	
通　　信　　費	1,242,000	
旅　費　交　通　費	2,253,000	
交　　際　　費	2,901,000	
減　価　償　却　費	433,000	
地　代　家　賃	39,571,000	
支　払　保　険　料	153,000	
水　道　光　熱　費	626,000	
租　税　公　課	2,660,000	
そ　の　他　の　費　用	1,391,000	134,476,000
営　　業　　利　　益		45,384,000

Ⅳ　営　業　外　収　益

受 取 利 息 配 当 金	252,000	
保 養 所 利 用 料 収 入	925,000	
雑　　収　　入	1,309,000	2,486,000

Ⅴ　営　業　外　費　用

支　払　利　息	3,779,000	
雑　　損　　失	651,000	
貸　倒　損　失	800,000	5,230,000
経　　常　　利　　益		42,640,000

Ⅵ　特　別　利　益

固 定 資 産 売 却 益	1,222,000	
有 価 証 券 売 却 益	200,000	1,422,000

Ⅶ　特　別　損　失

固 定 資 産 売 却 手 数 料	399,000	
有 価 証 券 売 却 手 数 料	21,000	420,000
税 引 前 当 期 利 益		43,642,000

3　損益計算書の内容に関して付記すべき事項は、次のとおりである。

　(1)　「総売上高」の内訳は、次のとおりである。

① 国内店舗における食品・日用品（以下「商品」という。）の売上高　428,712,000円

上記金額の内訳は、次のとおりである。

　イ　食品の売上高　　　　　　　　257,228,000円（うち消費税額等19,053,925円）

　　　上記金額には販売促進のためのバーゲンセールにつき、購入者に対して値引き販売した売上高15,500,000円が含まれている。

　　　　（計5,000個　1個あたりの通常の販売価額4,000円、仕入価額2,800円）

　ロ　日用品の売上高　　　　　　　171,484,000円（うち消費税額等15,589,454円）

② 国外の取引先に対する商品の輸出免税売上高　　　　　　　　　　28,510,000円

(2) 「売上値引」は、前課税期間の輸出免税売上げに係るものである。

　　なお、甲社は、売上げの値引きについては、すべて売上値引勘定で処理している。

(3) 「当期商品仕入高」の内訳は、次のとおりである。

① 国内の事業者から仕入れた商品に係るもの　　　　　　　　　　210,366,000円

　上記金額の内訳は、次のとおりである。

　イ　食品の仕入高　　　　　　　　122,012,000円（うち消費税額等9,037,925円）

　ロ　日用品の仕入高　　　　　　　88,354,000円（うち消費税額等8,032,181円）

② 甲社が輸入し、保税地域から引き取った日用品に係るもの　　　53,424,000円

　甲社は前課税期間から輸入日用品について、すべて消費税法第47条第3項に規定する特例申告による輸入を行っており、引取りに係る申告については、貨物を引き取った日の属する月の翌月末日に申告及び納付を行っている。税関に納付した税額の資料は、以下のとおりである。

　　《引き取った月》　　　　　　　　《税関に納付した税額》

　　令和7年3月　　　　　　　　　消費税額321,500円及び地方消費税額90,600円

　　令和7年4月～令和8年2月　　消費税額3,093,100円及び地方消費税額872,400円

　　令和8年3月　　　　　　　　　消費税額373,600円及び地方消費税額105,300円

(4) 「従業員給与手当」には、通勤手当が1,808,000円含まれている。

(5) 「福利厚生費」のうち、事業主負担の社会保険料は3,806,000円であり、その他の金額は次のとおりである。

① 従業員へ貸与する制服の購入費用　　1,110,000円（うち消費税額等100,909円）

② 従業員の定期検診及び人間ドック費用　　445,000円（うち消費税額等40,454円）

③ 従業員への香典代　　　　　　　　　　　　　　　　　　　　　　200,000円

④ その他共通課税仕入れに該当するもの　2,558,000円（うち消費税額等232,545円）

(6) 「商品荷造運送費」の内訳は、次のとおりである。

① 指定保税地域における輸出入貨物の荷役及び通関業務料金　　　　1,880,000円

② 国内及び輸出販売商品に係る運送料　　　　　　　　　　　　　　　4,854,000円

　　　　　　　　　　（うち国際運輸分709,000円及び消費税額等376,818円）

③ 輸出販売商品に係る甲社負担の保険料　　　　　　　　　　　　　　133,000円

(7) 「広告宣伝費」の内訳は、次のとおりである。

① 甲社の企業案内を掲載するホームページの製作委託料

　　　　　　　　　　　　　　503,000円（うち消費税額等45,727円）

② 販売商品名を書いた看板作成費及び据付料

　　　　　　　　　　　　　　2,713,000円（うち消費税額等246,636円）

③ 指定保税地域内にある甲社保有の倉庫屋上に設置した甲社社名入りの看板作成費

　　　　　　　　　　　　　　1,668,000円（うち消費税額等151,636円）

(8) 「通信費」1,242,000円（うち消費税額等106,181円）には、国際電話料金が74,000円
含まれているが、この他はすべて共通課税仕入れに該当する。

(9) 「旅費交通費」2,253,000円（うち消費税額等204,818円）は、すべて従業員の国内出
張旅費である。

(10) 「交際費」には、外食による飲食費110,000円（うち消費税額等10,000円）、宿泊費
1,039,000円（うち入湯税10,000円及び消費税額等93,545円）、慶弔に伴う花輪代230,000
円（うち消費税額等20,909円）及び祝い金（現金による支出）100,000円が含まれており、
これら以外の交際費で課税仕入れとなる金額は1,035,000円（うち消費税額等94,090円）
である。このうち、課税仕入れとなるものは、すべて共通課税仕入れに該当する。

(11) 「地代家賃」の内訳は、次のとおりである。

① 本社事務所の賃借料　　　　　　　　10,440,000円（うち消費税額等949,090円）

② 従業員用保養所の賃借料（従業員に低額で利用させている。）

　　　　　　　　　　　　　　2,260,000円（うち消費税額等205,454円）

③ 商品販売店舗の賃借料　　　　　　　26,871,000円（うち消費税額等2,442,818円）

(12) 「水道光熱費」626,000円（うち消費税額等56,909円）は、すべて共通課税仕入れに
該当する。

(13) 「租税公課」には、当課税期間において中間申告により納付した消費税額（国税部分）
822,000円が含まれている。

(14) 「その他の費用」のうち課税仕入れとなる金額は、標準税率の対象となるもの956,500
円（うち消費税額等86,954円）及び軽減税率の対象となるもの96,500円（うち消費税額等
7,148円）であり、すべて共通課税仕入れに該当する。

(15) 「受取利息配当金」は、銀行の預金利子76,000円、国債の利子13,000円、株式投資信
託の収益分配金123,000円及び普通株式に係る配当金40,000円の合計額である。

(16) 「雑収入」の内訳は、次のとおりである。

① 指定保税地域における輸入許可後の貨物に係る倉庫の保管料　　　850,000円

② 甲社の役員Aに対して備品（時価63,000円、取得価額80,000円）を譲渡した際に受け取った金額　　　20,000円

③ 甲社の役員Bに対して絵画（時価214,000円、取得価額200,000円）を譲渡した際に受け取った金額　　　107,000円

④ 商品配達中の事故により受け取った保険金　　　332,000円

(17)「雑損失」の内訳は、次のとおりである。

① 償還差損　　　90,000円

前々課税期間に購入した国債（1口額面100円を103円で30,000口購入）が当課税期間に償還された際に計上したものである。

② 手形売却損　　　561,000円

当課税期間の国内商品売上げにつき、約束手形で回収したものを国内の債権回収業者に売却したものであり、手形の額面金額25,000,000円と支払いを受けた金額24,439,000円との差額である。

(18)「貸倒損失」は、前々課税期間の国内の事業者に対する販売食品に係る売掛金700,000円及び当課税期間の国外の取引先に対する販売商品に係る売掛金100,000円が貸倒れたことにより計上したものである。

(19)「固定資産売却益」及び「固定資産売却手数料」399,000円（うち消費税額等36,272円）は、土地付き建物の売却（帳簿価額は土地31,150,000円、建物7,628,000円であり、売却価額は土地33,000,000円、建物7,000,000円（うち消費税額等636,363円）である。）に伴う売却益及び支払手数料（共通課税仕入れに該当する。）である。

また、上記の売却に伴い甲社は令和8年2月に商品販売店舗を新築し、当課税期間から事業の用に供している。当該店舗の取得価額は50,000,000円（うち消費税額等4,545,454円）であるが、引渡日に頭金として8,000,000円を支払い、残額については令和8年2月より毎月700,000円ずつ60回の均等払いとし、当課税期間において1,400,000円を支払っている。

(20)「有価証券売却益」及び「有価証券売却手数料」21,000円（うち消費税額等1,909円）は、当課税期間において売却した上場株式（帳簿価額12,300,000円、売却価額12,500,000円）の売却益及び売却手数料である。なお、当該株式は国内の振替機関で取扱うものである。

4　その他の事項

(1) 当課税期間において本社事務所の建設に際し、「建設仮勘定」として処理したものが37,500,000円あり、その内訳は次のとおりである。なお、当該物件の引渡しは翌課税期間に行われる予定である。

① 国内の不動産業者に支払った手付金　　　　　　　　　　　　　　　35,000,000円

② 国内の設計事務所に支払った設計料　2,500,000円（うち消費税額等227,272円）

当社では、課税仕入れ等を行った日の属する課税期間において税額控除することとしている。

(2) 過年度の資産の取得に関する事項は次のとおりであり、いずれの資産も当課税期間の末日において保有している。

① 令和5年5月1日に従業員の福利厚生目的のために取得した国内に所在するゴルフ場に係るゴルフ場利用株式　　　　　　　　　　　　　　　12,550,000円

② 令和6年9月10日に輸出入貨物を保管するために取得した保税地域に所在する倉庫
20,056,000円

⇨解答：96ページ

問題
4

問題

問 題 5

　甲株式会社（適格請求書発行事業者に該当する。以下「甲社」という。）は、家具の製造及び卸売業を営んでいるが、次の損益計算書及び製造原価報告書により甲社の第33期・令和7年4月1日から令和8年3月31日までの当課税期間（事業年度）における納付すべき消費税額を、その計算過程（判断を要する部分については、その理由を含む）を示して計算しなさい。

　解答に当たっては、次の事項を前提として計算しなさい。

(1) 会計帳簿における経理は、すべて消費税及び地方消費税を含んだ金額により処理（税込処理）されている。

(2) 取引等は、特に断りのある場合を除き、次のとおりとする。

・　国内において行われたものとする。

・　課税仕入れの相手方は、適格請求書発行事業者であるものとする。

・　他の者から受けた軽減対象課税資産の譲渡等は無いものとする。

・　収入及び支出について消費税等の経過措置により旧税率が適用される取引は無いものとする。

(3) 税法上適用される計算方法が2以上ある事項については、それぞれの計算方法による計算結果を示し、当課税期間における納付すべき消費税額が最も少なくなる方法を採用するものとする。

　　ただし、課税標準額に対する消費税額の計算に当たっては消費税法第45条第1項《総額割戻し計算》の適用を受けるものとし、課税仕入れに係る消費税額の計算に当たっては消費税法施行令第46条第3項《総額割戻し計算》の適用を受けることとする。

　　また、売上げに係る対価の返還等及び仕入れに係る対価の返還等に係る税額計算については、割戻し計算により行うものとする。

　　なお、課税仕入れに係る消費税額（適格請求書発行事業者以外の者から行った課税仕入れに係る税額控除に関する経過措置により、課税仕入れに係る消費税額とみなされるものを含む。）の計算に当たって、その計算過程で円未満の端数が生じた場合に切捨て又は四捨五入の選択が可能なときは、切捨てをして計算を行うものとする。

(4) 当課税期間中に行った課税仕入れ等については、その事実を明らかにした帳簿及び請求書等が、また輸出取引に係る証明書類が、それぞれ適法に保存されている。

(5) 甲社は、第29期から第32期までの課税期間（事業年度）については、控除対象仕入税額につき消費税法第30条第2項第1号に規定する《個別対応方式》により計算し、届出書については消費税法第57条第1項第1号に規定する届出書《消費税課税事業者届出書》を提出したのみである。

(6) 課税仕入れ等について、課税資産の譲渡等にのみ要するもの、課税資産の譲渡等以外の
資産の譲渡等（以下「その他の資産の譲渡等」という。）にのみ要するもの及び課税資産の
譲渡等とその他の資産の譲渡等に共通して要するもの（以下「共通課税仕入れ」という。）
の区分については、特に記載のあるものを除き、資産の譲渡等との対応関係が明確である
ものは課税資産の譲渡等にのみ要するもの又はその他の資産の譲渡等にのみ要するものと
し、これら以外のものは共通課税仕入れとする。

〔資　料〕

1　甲社が当課税期間中に中間申告した消費税額は4,896,000円である。

2　当課税期間の損益計算書は次のとおりである。

損　益　計　算　書

（自令和7年4月1日　至令和8年3月31日）　　　　　（単位：円）

I	売　　上　　高		
	総　売　上　高	329,256,100	
	売上値引戻り高	4,899,900	324,356,200
II	売　上　原　価		
	期首製品棚卸高	4,812,500	
	期首商品棚卸高	2,145,000	
	当期製品製造原価	129,280,200	
	当期商品仕入高	9,996,200	
	合　　　計	146,233,900	
	期末製品棚卸高	5,445,000	
	期末商品棚卸高	2,337,500	138,451,400
	売　上　総　利　益		185,904,800
III	販売費及び一般管理費		
	役　員　報　酬	38,500,000	
	従　業　員　給　与	81,152,500	
	法　定　福　利　費	4,588,000	
	福　利　厚　生　費	3,245,000	
	支　払　家　賃	3,960,000	
	支　払　保　険　料	2,502,500	
	支　払　修　繕　費	893,700	
	水　道　光　熱　費	1,237,500	
	広　告　宣　伝　費	4,125,000	

	旅 費 交 通 費	9,420,000	
	通 信 費	2,475,000	
	接 待 交 際 費	4,537,500	
	製 品 発 送 費	1,842,500	
	会 議 費	962,500	
	諸 会 費	183,100	
	消 耗 品 費	1,518,000	
	事 務 用 消 耗 品 費	781,000	
	減 価 償 却 費	7,579,900	
	寄 附 金	3,787,500	
	租 税 公 課	6,315,000	179,606,200
	営 業 利 益		6,298,600
IV	営 業 外 収 益		
	受 取 利 息	833,885	
	受 取 配 当 金	943,615	
	保 養 所 施 設 利 用 料 収 入	2,326,000	
	有 価 証 券 売 却 益	203,500	
	雑 収 入	1,946,500	6,253,500
V	営 業 外 費 用		
	支 払 利 息	4,036,200	
	施 設 管 理 費	1,320,000	
	貸 倒 損 失	2,600,000	7,956,200
	経 常 利 益		4,595,900
VI	特 別 利 益		
	固 定 資 産 売 却 益	5,927,100	5,927,100
VII	特 別 損 失		
	固 定 資 産 売 却 損	327,000	
	雑 損 失	196,100	523,100
	当 期 純 利 益		9,999,900

3 損益計算書の内容について付記すべき事項は次のとおりである。

(1) 「総売上高」は、甲社が製造した家具（以下「製品」という。）及び商品の売上高であり、下記以外のものについてはすべて国内における課税売上げに該当する。

① 輸出売上高 　　　　　　　　　　　　　　　　　　　　　40,262,000円

② 社内売上高 　　　　　　　　　　　　　　　　　　　　　　380,000円

上記金額は、甲社の役員に対する製品売上げで、通常の販売価額319,000円、製品製造原価230,700円（うち課税仕入れの金額189,500円）のものを役員Aには200,000円で、役員Bには180,000円で譲渡したものである。

(2)　「売上値引戻り高」は、すべて当課税期間の国内における製品売上高に係るものである。

(3)　「当期商品仕入高」は、すべて課税仕入れに該当する。

(4)　「法定福利費」は、甲社の負担に係る社会保険料及び労働保険料である。

(5)　「福利厚生費」の内訳は、次のとおりであり、課税仕入れとなるものは、すべて共通課税仕入れに該当する。

①	残業夜食代（弁当を購入し従業員に支給したもの）	234,700円
②	旅行会社に支払った社員慰安のための国内旅行費用	1,866,900円
③	上記②の旅行直前にキャンセルした社員に係る違約金	36,750円
④	上記③に係る取消事務手数料	6,300円
⑤	その他課税仕入れに該当するもの	1,100,350円

(6)　「支払家賃」は、指定保税地域内に賃借している輸出製品保管用倉庫の賃借料である。

(7)　「支払保険料」は、次の資産に係る損害保険料の合計額である。

①	配送中の製品に係るもの	522,400円
②	本社ビルに係るもの	1,082,500円
③	輸出製品保管用倉庫に係るもの	897,600円

(8)　「支払修繕費」は、本社社屋の修繕に係るものであり、すべて課税仕入れに該当する。

(9)　「水道光熱費」は、すべて共通課税仕入れに該当する。

(10)　「広告宣伝費」の内訳は、次のとおりである。

①	製品の国内広告宣伝料（国内の代理店に支払ったものである。）	4,017,200円
②	社名宣伝のためのカレンダー製作費用	107,800円

(11)　「旅費交通費」の内訳は、次のとおりであり、課税仕入れとなるものは、すべて共通課税仕入れに該当する。

①	社内規定による国内出張に係る日当	343,500円
②	海外出張旅費	462,000円
③	その他課税仕入れに該当するもの	8,614,500円

(12)　「通信費」には、国際通信に係るもの297,000円が含まれているが、これ以外はすべて共通課税仕入れに該当する。

(13)　「接待交際費」の内訳は、次のとおりであり、課税仕入れとなるものは、すべて共通課税仕入れに該当する。

①	国内の飲食店での接待のための支出額	3,337,500円

②　贈答用品の支出額　　　　　　　　　　　　　　　　　　　　　　　　950,000円

　　　上記金額には、商品券230,000円及び飲食料品に該当するもの102,000円が含まれている。

③　得意先への慶弔費（現金による支出）　　　　　　　　　　　　　　250,000円

(14)　「製品発送費」の内訳は、次のとおりである。

①　国内の製品売上げに係るもの　　　　　　　　　　　　　　　　　1,224,500円

　　　上記金額は、すべて国内運輸分である。

②　輸出の製品売上げに係るもの　　　　　　　　　　　　　　　　　618,000円

　　　上記金額は、国内運輸分193,000円と国際運輸分425,000円の合計額である。

(15)　「会議費」は、すべて共通課税仕入れに該当する。

(16)　「諸会費」の内訳は、同業者団体の通常会費12,000円、組合主催の税務研修の参加費用171,100円であり、課税仕入れとなるものは、すべて共通課税仕入れに該当する。

(17)　「消耗品費」及び「事務用消耗品費」は、すべて共通課税仕入れに該当する。

(18)　「寄附金」の内訳は、次のとおりであり、課税仕入れとなるものは、すべて共通課税仕入れに該当する。

①　日本赤十字社に対するもの　　　　　　　　　　　　　　　　　3,712,500円

　　　上記金額は、災害義援金として現金により支出した金額2,425,000円及びテレビを寄附した際のテレビの購入費用1,287,500円の合計額である。

②　地元の神社に対して支出したもの（現金による支出）　　　　　　75,000円

(19)　「租税公課」には、収入印紙の購入費用150,000円が含まれている。

(20)　「受取利息」の内訳は、次のとおりである。

①　国内銀行の預金利息（源泉所得税等15,315円控除後の金額）　　84,685円

②　外国債の利子　　　　　　　　　　　　　　　　　　　　　　　180,000円

③　内国法人に対する貸付金に係る利息　　　　　　　　　　　　　569,200円

(21)　「受取配当金」のうちには、公社債投資信託の収益分配金80,000円が含まれている。

(22)　「保養所施設利用料収入」は、すべて従業員から収受した施設利用料である。

(23)　「有価証券売却益」は、帳簿価額3,481,500円の株式（国内の振替機関で取扱われるものである。）を3,700,000円で売却したことによるものであるが、当該売却に伴って証券会社に支払った売却手数料15,000円については売却益から控除している。

(24)　「雑収入」の内訳は、次のとおりである。

①　甲社製品につき損害を受けたことに伴い収受した損害賠償金　　850,000円

　　　上記金額は、製品の国内運送中に運送業者の過失により製品につき損害を受けたことにより、その加害者である運送業者から収受したものである。なお、当該製品は、軽微な修理を加えることにより使用できるため、加害者に引き渡されている。

② 為替差益　　　　　　　　　　　　　　　　　　　　　　　　　196,500円

　　　外貨建取引についての法人税法等の規定に基づき適正に処理された結果生じたものである。

③ 貨物保管料収入　　　　　　　　　　　　　　　　　　　　　　900,000円

　　　指定保税地域内に賃借している倉庫において海外の取引先の貨物（内国貨物）を保管したことにより収受した金額である。

(25)　「施設管理費」は、甲社が保有している保養所（上記(22)参照）に係るものであり、その内訳は保養所の減価償却費477,000円、保養所に係る固定資産税291,000円及び保養所の管理を委託している管理会社に支払った管理委託料552,000円の合計額である。

(26)　「貸倒損失」は、前々課税期間における国内の取引先に対する製品の販売に係る売掛金5,200,000円が、当課税期間に回収不能となったことにより計上したものであり、貸倒引当金2,600,000円を充当した後の金額である。

(27)　「固定資産売却益」は、甲社所有の土地付建物（帳簿価額は土地21,865,000円及び建物1,550,000円、土地と建物の時価比は9対1である。）につき、建物の取壊しを行った上で土地を30,000,000円で売却した際に生じたものである。なお、当該売却に際しては、建物の取壊し後に土地を引き渡す契約になっていたため、支出した取壊し費用657,900円を固定資産売却益から控除している。

(28)　「固定資産売却損」は、製品配達用トラックを当課税期間に買換えたことにより生じたものであり、当該買換えについては次の仕訳により処理を行っている。

借　　方	金　　額	注	貸　　方	金　　額	注
車両運搬具	3,472,000円		車両運搬具	955,000円	1
減価償却費	168,000円	2	現　　金	3,012,000円	
固定資産売却損	327,000円				

　（注1）買換えに伴い下取りに供した旧型の製品配達用トラックの帳簿価額である。

　（注2）旧型の製品配達用トラックの減価償却費である。

(29)　「雑損失」は、内国法人に対する借入金2,000,000円を返済するため、現金で返済するのに代えて車両を引き渡したことにより生じたものであり、次の仕訳により処理を行っている。

　　　なお、借入金と車両の時価との差額については請求しないこととした。

借　　方	金　　額	注	貸　　方	金　　額	注
借　入　金	2,000,000円		車両運搬具	2,196,100円	3
雑　損　失	196,100円				

　（注3）当該車両は、役員送迎用車両として使用していたものであり、引渡時の帳簿価額は2,196,100円、引渡時の時価は2,100,000円である。

4　当課税期間の製造原価報告書は次のとおりである。

製 造 原 価 報 告 書

（自令和7年4月1日　至令和8年3月31日）　　　　（単位：円）

Ⅰ	材　料　費		
	期首材料棚卸高	6,809,100	
	当期材料仕入高	67,267,600	
	仕入値引戻し高	1,462,800	
	合　計	72,613,900	
	期末材料棚卸高	2,798,500	
	当期材料費		69,815,400
Ⅱ	労　務　費		
	賃　金	23,740,200	
	法定福利費	660,000	
	当期労務費		24,400,200
Ⅲ	外　注　費		4,345,000
Ⅳ	経　費		
	福利厚生費	878,500	
	機械賃借料	1,313,250	
	特許権使用料	1,800,000	
	水道光熱費	1,525,000	
	旅費交通費	2,470,000	
	通信費	1,725,000	
	消耗工具備品費	670,000	
	租税公課	1,000,000	
	支払保険料	1,225,000	
	支払修繕費	1,081,500	
	減価償却費	1,465,000	
	試験研究費	14,875,600	
	雑費	540,750	
	当期経費		30,569,600
	当期総製造費用		129,130,200
	期首仕掛品棚卸高		2,337,500
	合　計		131,467,700

| 期末仕掛品棚卸高 | 2,187,500 |
| 当期製品製造原価 | 129,280,200 |

5 製造原価報告書の内容について付記すべき事項は次のとおりである。

(1) 「当期材料仕入高」の内訳は、次のとおりである。

① 国内仕入高　　　　　　　　　　　　　　　　　　　　46,813,200円

② 輸入仕入高　　　　　　　　　　　　　　　　　　　　20,454,400円

　輸入仕入高には、当課税期間中に引き取った課税貨物につき輸入の際税関に納付した消費税額1,450,400円及び地方消費税額409,000円が含まれている。

(2) 「仕入値引戻し高」は、すべて当課税期間の国内の当期材料仕入高に係るものである。

(3) 「外注費」は、すべて下請業者に対する材料加工賃の支払いであり、このうち免税事業者に対するもの830,000円が含まれている。

(4) 「特許権使用料」は、外国法人の有する特許権（国外において登録されている）に対して支払ったものである。

(5) 「試験研究費」は、新製品の開発・研究の為に支出したものであるが、当課税期間に購入した試験研究用設備（取得価額10,500,000円）に係る減価償却費3,599,000円、研究員人件費2,530,000円及び内国法人の有する特許権（国内及び海外で登録されている）に対して支払った賃借料1,050,000円が含まれており、残額はすべて課税仕入れに該当するものである。

(6) 「雑費」のうちには、課税仕入れに該当するもの468,000円が含まれている。

(7) 「福利厚生費」、「機械賃借料」、「水道光熱費」、「旅費交通費」、「通信費」、「消耗工具備品費」及び「支払修繕費」は、すべて課税仕入れに該当し、「福利厚生費」には、飲食料品に該当するもの106,800円が含まれている。

6 その他の事項

　当課税期間において、甲社の役員（法人税法に規定する役員に該当する。）に対して応接室に飾ってあった絵画（贈与時の帳簿価額1,500,000円、贈与時の時価1,785,000円）を贈与しているが未処理である。

7 甲社の取引等の状況

　各課税期間に係る取引は、次のとおりであり、税込処理されている。これらの課税期間については、消費税の納税義務がある。また、甲社は第32期から事業年度を毎年4月1日から翌年3月31日までに変更している。

取　引　の　状　況	第29期	第30期
	自令和3年7月1日 至令和4年6月30日	自令和4年7月1日 至令和5年6月30日
Ⅰ　資産の譲渡等の金額	228,648,000円	239,874,000円
Ⅰのうち非課税取引に係るもの	1,414,000円	1,520,000円
Ⅰのうち免税取引に係るもの	16,230,000円	17,425,000円
Ⅱ　Ⅰの売上げに係る対価の返還等	4,150,000円	4,650,000円
Ⅱのうち非課税取引に係るもの	0円	0円
Ⅱのうち免税取引に係るもの	1,063,000円	1,112,000円

取　引　の　状　況	第31期	第32期
	自令和5年7月1日 至令和6年3月31日	自令和6年4月1日 至令和7年3月31日
Ⅰ　資産の譲渡等の金額	186,994,000円	252,164,000円
Ⅰのうち非課税取引に係るもの	946,000円	23,467,000円
Ⅰのうち免税取引に係るもの	13,442,000円	14,764,000円
Ⅱ　Ⅰの売上げに係る対価の返還等	3,821,220円	4,390,000円
Ⅱのうち非課税取引に係るもの	0円	0円
Ⅱのうち免税取引に係るもの	1,254,000円	1,649,000円

⇨解答：103ページ

問 題 6

　甲株式会社（適格請求書発行事業者に該当する。以下「甲社」という。）は、電化製品及び生活用品の販売業を営んでいるが、甲社の令和7年4月1日から令和8年3月31日までの当課税期間等における取引等の状況は、次の〔資料〕のとおりである。

　これに基づき、当課税期間における確定申告により納付すべき消費税額をその計算過程（判断を要する部分については、その理由を含む。）を示して計算しなさい。解答は、答案用紙の所定の箇所に記入しなさい。

　なお、課税標準額に対する消費税額の計算に当たっては消費税法第45条第5項《消費税額の積上げ計算》の適用を受けないものとし、課税仕入れに係る消費税額の計算に当たっては消費税法施行令第46条第1項《課税仕入れに係る請求書等による消費税額の積上げ計算》の適用を受けることとする。

〔計算に当たっての前提事項〕

(1) 会計帳簿による経理は、すべて消費税及び地方消費税を含んだ金額により処理（税込経理）されている。

(2) 取引等は、特に断りのある場合を除き、

・　国内において行われたものとする。

・　他の者から受けた軽減対象課税資産の譲渡等は無いものとする。

・　収入及び支出において消費税等の経過措置により旧税率が適用される取引は無いものとする。

(3) 確定申告により納付すべき消費税額の計算に当たって、適用される計算方法が2以上ある事項については、それぞれの計算方法による計算結果を示し、当課税期間における納付すべき消費税額が最も少なくなる方法を採用するものとする。

(4) 甲社は前課税期間まで消費税の課税事業者に該当し、仕入れに係る消費税額の控除の計算は個別対応方式（消費税法第30条第2項第1号に規定する計算方式）により行っている。また、当課税期間についても個別対応方式を適用するための課税仕入れ等の区分は正しく行われているものとする。

(5) 甲社は、消費税課税事業者選択届出書（消費税法第9条第4項に規定する届出書）及び消費税簡易課税制度選択届出書（消費税法第37条第1項に規定する届出書）を提出したことはない。

(6) 国内において行われた課税資産の譲渡等で消費税が免除される取引（免税取引）については、必要な手続はすべて行われており、当課税期間中に行われた免税取引に係る書類又は帳簿は法令に従って保存されている。また、免税取引の相手方は、甲社の行う課税資産

の譲渡等のすべてについて免税の適用を受けることができる者である。

(7) 甲社は、帳簿及び適格請求書等（その写しを含む。）を適正に保存しているものとする。

(8) 課税仕入れ及び保税地域からの引取りに係る課税貨物について、課税資産の譲渡等にのみ要するもの、課税資産の譲渡等以外の資産の譲渡等（以下「その他の資産の譲渡等」という。）にのみ要するもの及び課税資産の譲渡等とその他の資産の譲渡等に共通して要するもの（以下「共通課税仕入れ」という。）の区分については、特に記載があるものを除き、資産の譲渡等との対応関係が明確であるものは、課税資産の譲渡等にのみ要するもの又はその他の資産の譲渡等にのみ要するものとし、これら以外のものは共通課税仕入れとする。

(9) 売上値引及び戻り高に係る消費税額については、適格返還請求書に記載した消費税額を使用しない方法により計算（割戻し計算）するものとする。

(10) 仕入値引及び戻し高に係る消費税額については、適格返還請求書に記載された消費税額により計算（積上げ計算）するものとする。

(11)「消費税額等」とは、甲社が発行した又は受領した適格請求書等に記載の消費税額等の合計額をいう。

〔資 料〕

1　甲社の令和6年4月1日から令和7年3月31日までの前課税期間（事業年度）に係る消費税額（当課税期間中の中間申告税額の計算の基礎となる消費税額）は48,001,000円であり、確定申告（期限内申告）により確定したものである。なお、甲社は当課税期間中に仮決算に基づく中間申告書の提出はしていない。

2　甲社の当課税期間の損益計算書の内容は、次のとおりである。

損 益 計 算 書

（自令和7年4月1日　至令和8年3月31日）　　　　　（単位：円）

I【売　　上　　高】		5,004,969,060
総　売　上　高	5,063,166,560	
売上値引及び戻り高	58,197,500	
II【売　上　原　価】		1,932,228,980
期首商品棚卸高	199,677,400	
当期商品仕入高	1,854,580,100	
仕入値引及び戻し高	31,919,820	
合　　計	2,022,337,680	
期末商品棚卸高	90,108,700	
売　上　総　利　益		3,072,740,080

Ⅲ【販売費及び一般管理費】		1,762,746,530
給 与 手 当	523,531,800	
法 定 福 利 費	313,777,800	
福 利 厚 生 費	11,916,760	
広 告 宣 伝 費	7,333,660	
交 際 費	8,666,000	
荷 造 運 送 費	18,030,850	
旅 費 交 通 費	4,167,920	
会 議 費	687,910	
通 信 費	2,140,500	
寄 附 金	100,000	
減 価 償 却 費	9,597,410	
修 繕 費	6,840,000	
保 険 料	4,914,120	
地 代 家 賃	36,302,000	
支 払 手 数 料	2,385,000	
商 標 権 使 用 料	2,180,000	
そ の 他 の 費 用	810,174,800	
営 業 利 益		1,309,993,550
Ⅳ【営 業 外 収 益】		23,056,340
受取利息及び配当金	3,893,490	
社 宅 利 用 料 収 入	7,125,800	
受 取 家 賃	7,032,000	
貨 物 保 管 料	374,000	
雑 収 入	4,631,050	
Ⅴ【営 業 外 費 用】		5,601,430
支 払 利 息	1,260,530	
貸 倒 損 失	2,240,900	
雑 損 失	2,100,000	
経 常 利 益		1,327,448,460
Ⅵ【特 別 利 益】		46,324,000
有 価 証 券 売 却 益	11,324,000	
固 定 資 産 売 却 益	35,000,000	
Ⅶ【特 別 損 失】		9,949,200

問題6

問題

有価証券売却手数料	109,200
固定資産売却手数料	9,840,000

税引前当期利益	1,363,823,260

3　損益計算書の内容に関して付記すべき事項は、次のとおりである。

(1)　「総売上高」の内訳は、次のとおりである。

①　電化製品（以下「家電」という。）の売上高　　　　　　　4,119,551,420円

上記金額の内訳は、次のとおりである。

イ　国内店舗における売上高　　2,249,535,860円（うち消費税額等204,503,260円）

ロ　海外の取引先に販売した輸出売上高　　　　　　　　1,870,015,560円

上記金額のうち、45,191,000円は、甲社が海外で購入した家電を、国内の保税地域に陸揚げし、輸入手続を受ける前に海外の法人A社（非居住者に該当し、国内に支店等を有していない。）に販売したものである。

②　生活用品（以下「日用品」という。）の売上高

943,615,140円（うち消費税額等85,783,194円）

上記金額は、すべて国内店舗における売上高であるが、甲社の従業員に対して行った社内販売による売上高（甲社の日用品をすべて40％引きで販売したもの）6,980,570円（うち消費税額等634,597円）が含まれている。

(2)　「売上値引及び戻り高」の内訳は、次のとおりであり、すべて当課税期間の売上高に係るものである。なお、甲社は、売上げの値引き及び返品につき、すべて「売上値引及び戻り高」勘定で処理している。

①　家電の国内店舗における売上高（上記(1)①イ）に係るもの

46,114,280円（うち消費税額等4,192,207円）

甲社は、当課税期間中の特別セールにおいて、一度に150,000円以上の家電を購入した顧客に対し案内を送付し、10,000円のキャッシュバックを実施している。なお、①の金額のうち1,960,000円（うち消費税額等178,181円）は、このキャッシュバックの金額である。

②　日用品の国内店舗における売上高（上記(1)②）に係るもの

12,083,220円（うち消費税額等1,098,474円）

上記金額には、甲社の従業員に対して行った社内販売による売上高に係るものは含まれていない。

(3)　「当期商品仕入高」の内訳は、次のとおりである。

①　家電の仕入高　　　　　　　　　　　　　　　　　　　　1,394,592,930円

上記金額には、国内において販売するために輸入し、保税地域から引き取った家電に係るもの549,075,000円が含まれており、これ以外の金額845,517,930円（うち消費

税額等76,865,266円）は、国内における課税仕入れに該当する。なお、保税地域から引き取った家電の金額には、輸入の際税関に納付した消費税額38,934,400円及び地方消費税額10,981,400円が含まれている。

② 日用品の仕入高　　　　　　　459,987,170円（うち消費税額等41,817,015円）

　　上記金額は、すべて国内における課税仕入れに該当する。

(4) 「仕入値引及び戻し高」の内訳は、次のとおりである。

① 当課税期間に国内で仕入れた家電について、当該仕入先から受けた値引き額

　　　　　　　　　　　　　　4,998,160円（うち消費税額等454,378円）

② 当課税期間に輸入した家電について品違いであることが判明し、再輸出したことにより海外の仕入先から返還を受けた金額　　　　　　　　　22,244,000円

③ ②に伴い税関から還付を受けた消費税額　　　　　　　　　1,735,000円

④ ②に伴い税関から還付を受けた地方消費税額　　　　　　　　489,300円

⑤ 当課税期間に輸入した家電について海外の仕入先から受けたリベート　673,900円

⑥ 当課税期間に国内で仕入れた日用品について、当該仕入先から受けた値引き額

　　　　　　　　　　　　　　1,779,460円（うち消費税額等161,769円）

(5) 販売費及び一般管理費に関する事項

① 「給与手当」には、人材派遣会社に支払った派遣料4,500,000円（うち消費税額等409,090円）が含まれている。このうち、課税仕入れとなるものは、すべて共通課税仕入れに該当する。

② 「福利厚生費」の内訳は、次のとおりである。

　イ　従業員慰安のための旅行費用　　　　　　　　　　　　　　8,412,000円

　　　上記金額は、国内旅行費用7,521,100円（うち消費税額等683,736円）、宿泊旅館を変更したことに伴う違約金862,000円及び変更に伴い旅行会社に支払った事務手数料28,900円（うち消費税額等2,627円）の合計額である。

　ロ　契約診療所に支払った従業員の人間ドック費用の甲社負担分

　　　　　　　　　　　　　　3,419,500円（うち消費税額等310,863円）

　ハ　残業した従業員に支給した持ち帰り用の弁当（飲食料品）の購入費用

　　　　　　　　　　　　　　85,260円（うち消費税額等6,315円）

③ 「広告宣伝費」の内訳は、次のとおりである。

　イ　甲社のインターネット上のホームページ製作委託料で国内の事業者に支払った金額　　　　　　　　　　　　　　1,186,000円（うち消費税額等107,818円）

　　　なお、当該ホームページでは、家電及び日用品に関する情報の他、甲社の経営・財務状況等が掲載されている。

　ロ　家電及び日用品のカタログ作成費用　2,554,660円（うち消費税額等232,241円）

ハ　得意先へ贈呈する商品券の購入費用　　　　　　　　　　　　　　　895,000円

ニ　家電の展示会費用　　　　2,698,000円（うち消費税額等245,272円）

当該展示会は、得意先を無料で招待しており、上記金額は、すべて国内における課税仕入れに該当する。

④　「交際費」には、飲食宿泊費（飲食に係るものはすべて外食代である。）7,501,000円（うち入湯税9,000円及び消費税額等681,090円）、取引先の役員の葬儀に際し支出した香典200,000円及び生花代65,000円（うち消費税額等5,909円）が含まれており、この他はすべて課税仕入れの対象とならないものである。なお、課税仕入れとなるものは、すべて共通課税仕入れに該当する。

⑤　「荷造運送費」の内訳は、次のとおりである。

イ　輸出用の家電に係る国内の港から海外の港までの運賃　　　　9,142,000円

ロ　輸出許可を受けた家電の荷役料　　　　　　　　　　　　　　578,000円

ハ　輸出用の家電に係る通関業務料金　　　　　　　　　　　　　616,000円

ニ　国内販売用の家電及び日用品に係る国内運賃及び荷造費

7,278,850円（うち消費税額等661,713円）

ホ　運送貨物に係る甲社負担の保険料　　　　　　　　　　　　　416,000円

⑥　「旅費交通費」には、従業員が海外出張した際における国際線の航空運賃1,862,000円、海外でのホテル代等の滞在費986,500円が含まれているが、この他の金額1,319,420円（うち消費税額等119,947円）はすべて共通課税仕入れに該当する。

⑦　「会議費」は、すべて共通課税仕入れに該当し、軽減税率の対象となる飲み物代62,500円（うち消費税額等4,629円）及びこれ以外の金額625,410円（うち消費税額等56,855円）の合計額である。

⑧　「通信費」には、国際電話料金857,640円が含まれているが、この他の金額1,282,860円（うち消費税額等116,623円）はすべて共通課税仕入れに該当する。

⑨　「寄附金」は、町内の神社の祭礼に伴う奉納金である。

⑩　「減価償却費」のうち、156,820円は令和7年6月13日に購入した家電及び日用品の梱包用機械（取得価額1,150,400円（うち消費税額等104,581円））に係るものである。

⑪　「修繕費」の内訳は、次のとおりである。

イ　甲社が所有するアパート（以下「アパートX」という。）の内装工事費用

5,650,000円（うち消費税額等513,636円）

甲社は、令和5年9月10日に土地付建物を177,000,000円（土地の取得価額105,000,000円、建物の取得価額72,000,000円）で取得し、令和5年10月1日から他の事業者に事務所用として貸し付けていたが、甲社はアパートXに工事を施し、令和8年2月1日から居住用として貸し付けている（下記(8)参照）。

上記金額は、当該工事につき甲社が支出した費用であり、資本的支出に該当するものは含まれていない。

　　ロ　国内店舗に係る補修費用　　　　　1,190,000円（うち消費税額等108,181円）

⑫　「地代家賃」の内訳は、次のとおりである。

　　イ　輸出用の家電を保管するために指定保税地域内に賃借している倉庫の家賃

　　　　　　　　　　　　　　　　　2,352,000円（うち消費税額等213,818円）

　　ロ　社宅マンションの借上料　　　　　　　　　　　　　　　12,956,000円

　　　　上記金額は、従業員の社宅として他の事業者から賃借しているマンションに係る家賃であるが、当該社宅は従業員に対して低額で貸し付けており、甲社は従業員から収受した金額を「社宅利用料収入」として計上している（下記(7)参照）。

　　ハ　国内店舗の家賃　　　　20,160,000円（うち消費税額等1,832,727円）

　　ニ　国内の法人B社（下記4(2)参照）に対する支払地代　　　834,000円

⑬　「支払手数料」には、社宅マンション（上記⑫ロ参照）の契約更改にあたり不動産業者に支払った手数料645,000円（うち消費税額等58,636円）が含まれているが、この他の金額1,740,000円（うち消費税額等158,181円）は甲社の顧問税理士に支払った報酬である。

⑭　「商標権使用料」2,180,000円（うち消費税額等198,181円）は、日用品の販売に使用するため海外の法人C社（非居住者に該当し、国内に支店等を有していない。）が所有する商標権（日本でのみ登録されている。）に対して支払った使用料である。

⑮　「その他の費用」の内訳は、次のとおりである。

　　イ　課税仕入れの対象とならないもの　　　　　　　　　　　799,971,810円

　　ロ　課税仕入れとなるもののうち、課税資産の譲渡等にのみ要するもの

　　　　　　　　　　　　　　　　　2,040,480円（うち消費税額等185,498円）

　　ハ　課税仕入れとなるもののうち、共通課税仕入れに該当するもの

　　　　　　　　　　　　　　　　　8,162,510円（うち消費税額等742,046円）

(6)　「受取利息及び配当金」は、預金利息682,000円、非居住者に対する貸付金利息350,000円、株式投資信託の分配金2,169,000円及び株式配当金692,490円の合計額である。

(7)　「社宅利用料収入」は、甲社の従業員に対する社宅マンション（上記(5)⑫ロ参照）の家賃である。

(8)　「受取家賃」の内訳は、次のとおりである。

①　アパートXの事務所用としての賃貸収入

　　　　　　　　　　　　　　　　　5,964,000円（うち消費税額等542,181円）

②　アパートXの居住用としての賃貸収入　　　　　　　　　　1,068,000円

(9)　「貨物保管料」は、指定保税地域内に賃借している倉庫において国内の法人D社の貨

物（外国貨物）を保管したことにより収受したものである。

(10) 「雑収入」の内訳は、次のとおりである。

① 商標権使用料収入　　　　　　　　　　　　　　　　　　840,000円

甲社が所有する商標権（日本で登録されている。）を海外の法人E社（非居住者に該当し、国内に支店等を有していない。）に使用させたことにより収受したものである。

② 海外の法人F社（非居住者に該当し、国内に支店等を有していない。）から収受する市場調査料　　　　　　　　　　　　　　　　　　　2,920,000円

F社から依頼され、国内市場の調査をしたことにより収受した金額である。

③ 国内店舗のレジにおいて生じた現金過不足残高振替収入　　　　11,050円

④ 国内店舗の壁面収入　　　　　　　　860,000円（うち消費税額等78,181円）

国内店舗の壁面に設置している広告スペースにおいて、国内の法人G社の社名広告を行ったことにより収受した金額である。

(11) 「貸倒損失」は、前課税期間に国内で販売した家電に係る売掛金が貸倒れとなったものであり、その事実を証する書類は保存されている。

(12) 「雑損失」は、上記(5)⑪イのアパートXの工事を行うにあたり、賃借人との賃貸借契約を解除することに伴って支払った立退料である。

(13) 「有価証券売却益」は、内国法人H社の株式（帳簿価額64,986,000円）を76,310,000円で譲渡した際の売却益である。なお、当該株式は国内の振替機関で取扱うものである。

(14) 「固定資産売却益」は、甲社の有する土地（帳簿価額371,400,000円）を406,400,000円で譲渡した際の売却益である。

(15) 「有価証券売却手数料」109,200円（うち消費税額等9,927円）は、上記(13)のH社の株式の譲渡に伴い、国内の証券会社に支払ったものである。

(16) 「固定資産売却手数料」9,840,000円（うち消費税額等894,545円）は、上記(14)の土地の譲渡に伴い、国内の不動産業者に支払ったものである。

4　その他の事項

(1) 甲社は、家電（仕入価額132,000円、通常の販売価額262,000円）を甲社の役員に対して贈与しているが、未処理である。

(2) 甲社は、甲社が所有する国内店舗の敷地となっている、国内の法人B社が所有する土地につきB社と借地権契約（契約期間10年）を結んでおり、以前から当該土地を使用していたが、令和7年8月31日に契約期間が満了したことに伴い契約更新を行い、更新料5,800,000円及び国内の不動産業者に対する更新手数料174,000円（うち消費税額等15,818円）を支出している。

なお、甲社は支出した更新料及び更新手数料を借地権として資産計上している。

(3) 甲社は、甲社所有の土地（帳簿価額98,290,000円、時価165,500,000円）と、国内の法

人 I 社所有の土地（帳簿価額99,413,000円、時価170,000,000円）の交換を行っている。なお、時価差額については交換差金4,500,000円を支払っている。

⇨解答：112ページ

問題
6

問題

問題 7

　甲株式会社（適格請求書発行事業者に該当する。以下「甲社」という。）は電気機器（以下「商品」という。）の販売業を営んでいる内国法人であるが、甲社の令和7年4月1日から令和8年3月31日までの課税期間（事業年度）における取引等の状況は次の〔資料〕のとおりである。これに基づき、当課税期間における確定申告により納付すべき消費税額をその計算過程（判断を要する部分については、その理由を含む。）を示して計算しなさい。

　なお、課税標準額に対する消費税額の計算に当たっては消費税法第45条第5項《消費税額の積上げ計算》の適用を受けないものとし、課税仕入れに係る消費税額の計算に当たっては消費税法施行令第46条第1項《課税仕入れに係る請求書等による消費税額の積上げ計算》の適用を受けることとする。

〔計算に当たっての前提事項〕

(1) 会計帳簿による経理は、すべて消費税及び地方消費税を含んだ金額により処理されている。

(2) 取引等は、特に断りのある場合を除き、

　・　国内において行われたものとする。

　・　他の者から受けた軽減対象課税資産の譲渡等は無いものとする。

　・　収入及び支出において消費税等の経過措置により旧税率が適用される取引は無いものとする。

(3) 確定申告により納付すべき消費税額の計算に当たって、適用される計算方法が2以上ある事項については、それぞれの計算方法による計算結果を示し、当課税期間における納付すべき消費税額が最も少なくなる方法を採用するものとする。また、消費税創設以来前課税期間まで、課税売上割合が95％未満となった場合又は課税期間における課税売上高が5億円を超える場合については、個別対応方式（消費税法第30条第2項第1号に規定する計算方法）により仕入れに係る消費税額の計算を行っており、当課税期間についても個別対応方式を適用するための課税仕入れ等の区分は正しく行われている。

(4) 甲社は、消費税課税事業者選択届出書（消費税法第9条第4項に規定する届出書）及び消費税簡易課税制度選択届出書（消費税法第37条第1項に規定する届出書）を提出したことはない。

(5) 国内において行われた課税資産の譲渡等で消費税が免除される取引（免税取引）について必要な手続きはすべて行われており、当課税期間中に行われた免税取引に係る書類又は帳簿は法令に従って保存されている。なお、帳簿及び適格請求書等（その写しを含む。）は、法令に従って保存されている。

(6) 甲社の役員は、法人税法第2条第15号に規定する役員に該当する。

(7) 課税仕入れ及び保税地域からの引取りに係る課税貨物について、課税資産の譲渡等にのみ
   要するもの、課税資産の譲渡等以外の資産の譲渡等（以下「その他の資産の譲渡等」という。）
   にのみ要するもの及び課税資産の譲渡等とその他の資産の譲渡等に共通して要するもの（以
   下「共通課税仕入れ」という。）の区分については、特に記載があるものを除き、資産の譲渡
   等との対応関係が明確であるものは、課税資産の譲渡等にのみ要するもの又はその他の資産
   の譲渡等にのみ要するものとし、これら以外のものは共通課税仕入れとする。

(8) 売上値引・戻り高に係る消費税額については、適格返還請求書に記載した消費税額を使用
   しない方法により計算（割戻し計算）するものとする。

(9) 仕入値引・戻し高に係る消費税額については、適格返還請求書に記載された消費税額によ
   り計算（積上げ計算）するものとする。

(10)「消費税額等」とは、甲社が発行した又は受領した適格請求書等に記載の消費税額等の合
   計額をいう。

〔資　料〕

1　甲社の当課税期間（事業年度）の損益計算書の内容は次のとおりである。

損　益　計　算　書

（自令和7年4月1日　至令和8年3月31日）　　　（単位：円）

Ⅰ	売　　上　　高		
	総　売　上　高	1,180,605,900	
	売上値引・戻り高	126,873,980	1,053,731,920
Ⅱ	売　上　原　価		
	期首商品棚卸高	89,055,500	
	当期商品仕入高	748,732,300	
	仕入値引・戻し高	3,883,100	744,849,200
	計	833,904,700	
	期末商品棚卸高	33,011,200	800,893,500
	売　上　総　利　益		252,838,420
Ⅲ	販売費及び一般管理費		
	役　員　報　酬	45,596,800	
	従業員給与手当	68,163,200	
	福　利　厚　生　費	10,555,800	
	広　告　宣　伝　費	1,476,800	
	商品荷造運送費	12,998,400	
	接　待　交　際　費	4,980,000	

旅 費 交 通 費	6,596,800	
減 価 償 却 費	3,514,400	
地 代 家 賃	16,646,800	
租 税 公 課	8,478,400	
通 信 費	2,260,960	
支 払 手 数 料	2,404,000	
そ の 他 の 費 用	53,747,200	237,419,560
営 業 利 益		15,418,860
IV 営 業 外 収 益		
受 取 利 息	3,779,200	
受 取 配 当 金	1,826,400	
社 宅 使 用 料 収 入	2,016,000	
貨 物 保 管 料 収 入	80,000	
償 却 債 権 取 立 益	651,000	
雑 収 入	2,126,100	10,478,700
V 営 業 外 費 用		
支 払 利 息	3,139,200	
貸 倒 損 失	1,826,000	4,965,200
経 常 利 益		20,932,360
VI 特 別 利 益		
投 資 有 価 証 券 売 却 益	6,384,000	
固 定 資 産 売 却 益	164,846,000	
交 換 差 益	10,000,000	181,230,000
VII 特 別 損 失		
有 価 証 券 売 却 手 数 料	992,000	
固 定 資 産 売 却 手 数 料	3,840,000	4,832,000
税 引 前 当 期 利 益		197,330,360

2 損益計算書の内容に関して付記すべき事項は次のとおりである。

(1) 「総売上高」の内訳は、次のとおりであり、非課税取引に係るものは含まれていない。

① 輸出免税となる売上高　　　　　　　　　　　　　　　　67,876,800円

② 国内における売上高　　　1,112,729,100円（うち消費税額等101,157,190円）

(2) 「売上値引・戻り高」は、すべて当課税期間の売上に係るものであり、その内訳は次のとおりである。なお、甲社は、売上の値引きについては、すべて売上値引・戻り高勘定で処理している。

①　輸出免税売上に対するもの　　　　　　　　　　　　　　　　　　11,792,640円

②　国内売上に対するもの　　　115,081,340円（うち消費税額等10,461,940円）

(3)　「当期商品仕入高」には、外国法人A社（国内に支店等は有していない。）から輸入し、一般申告により保税地域から引き取った商品分113,836,700円が含まれており、残額634,895,600円（うち消費税額等57,717,781円）は、国内における課税仕入れに該当するものである。

　　なお、113,836,700円には、輸入の際税関に納付した消費税額8,072,000円及び地方消費税額2,276,700円が含まれている。

(4)　「仕入値引・戻し高」には、当課税期間中の課税仕入れに係る金額2,224,100円（うち消費税額等202,190円）が含まれており、その他の金額の内訳は、次のとおりである。

①　輸入品に係るもの　　　　　　　　　　　　　　　　　　　　　　903,000円

　　輸入品について品違いであることが判明したが、税関長の承認を受けてその商品を再輸出しないで廃棄したことに伴い税関から還付を受けた消費税額64,000円及び地方消費税額18,000円と、仕入先から返還を受けた金額821,000円の合計額である。

②　輸入貨物について仕入先から受けたリベート（税関手続はしていない。）

　　　　　　　　　　　　　　　　　　　　　　　　　　　　　　　　756,000円

(5)　「従業員給与手当」には、残業手当1,350,100円が含まれている。

(6)　「福利厚生費」には、事業主負担の社会保険料5,476,000円が含まれており、その他の金額の内訳は、次のとおりである。

①　従業員慰安のための旅行費用　　　　　　　　　　　　　　　　2,637,600円

　　国内での旅行に係るものであり、このうち宿泊旅館を変更したことに伴う違約金40,000円及び消費税額等236,145円が含まれている。

②　従業員の福利厚生のために契約している福利厚生施設に係る宿泊費等の会社負担分

　　　　　　　　　　　　　　　1,188,800円（うち消費税額等108,072円）

③　従業員の福利厚生目的のフィットネスクラブの年会費

　　　　　　　　　　　　　　　495,000円（うち消費税額等45,000円）

④　契約診療所に支払った従業員の人間ドック費用

　　　　　　　　　　　　　　　758,400円（うち消費税額等68,945円）

(7)　「広告宣伝費」1,476,800円（うち消費税額等134,254円）は、販売商品に係るチラシの制作費及び当該チラシの新聞折込料金である。

(8)　「商品荷造運送費」は、いずれも販売商品に係るものであるが、その内訳は、次のとおりである。

①　輸出商品に係る国内の港から外国の港までの運賃　　　　　　　2,799,200円

②　輸出許可を受けた商品の荷役及び保管料　　　　　　　　　　　163,200円

③　国内商品販売に係る国内運賃及び荷造費

9,794,400円（うち消費税額等890,400円）

④　運送貨物に係る甲社負担の保険料　　　　　　　　　　241,600円

(9)　「接待交際費」の内訳は、飲食宿泊費（飲食に係るものはすべて外食代である。）3,066,400円（うち入湯税6,400円及び消費税額等278,181円）、ゴルフプレー費227,200円（うちゴルフ場利用税7,600円及び消費税額等19,963円）、贈答品（ビール）の購入費598,400円（うち消費税額等54,400円）、贈答用の商品券の購入費184,000円、得意先に対する慶弔金（現金による支出）304,000円及び役員に対して支給した交際費で精算されずに費途が不明のもの600,000円の合計額である。このうち、課税仕入れとなるものは、すべて共通課税仕入れに該当する。

(10)　「旅費交通費」には、従業員が海外に出張した際における国際線の航空運賃2,280,000円、海外でのホテル代等の滞在費515,200円が含まれているが、それ以外の金額3,801,600円（うち消費税額等345,600円）は共通課税仕入れに該当する。

(11)　「地代家賃」の内訳は、次のとおりである。

①　従業員用借上社宅の賃借料（下記(18)参照）　　　　　3,456,000円

②　商品保管用の倉庫の賃借料　　　　9,024,000円（うち消費税額等820,363円）

　　指定保税地域外に所在する倉庫の賃借料であり、土地部分の賃借料5,424,000円及び建物部分の賃借料3,600,000円に区分して支払ったものである。

③　輸出入商品を保管するために指定保税地域内に賃借している倉庫の賃借料

2,276,800円（うち消費税額等206,981円）

④　本社ビルの賃借料　　　　　1,890,000円（うち消費税額等171,818円）

(12)　「租税公課」には、当課税期間の中間納付消費税額が6,840,000円含まれている。

(13)　「通信費」には、国際電話料金40,000円が含まれているが、それ以外の金額2,220,960円（うち消費税額等201,905円）は国内の電話料金・郵便料金である。このうち、課税仕入れとなるものは、すべて共通課税仕入れに該当する。

(14)　「支払手数料」には、従業員用借上社宅（下記(18)参照）の賃貸借契約の更新に伴って不動産仲介業者に支払った更新手数料174,000円（うち消費税額等15,818円）及びこれ以外で課税仕入れとなる手数料2,175,000円（うち消費税額等197,727円、共通課税仕入れに該当する。）が含まれているが、これら以外は国内における課税仕入れに該当しない。

(15)　「その他の費用」のうち、課税仕入れとなる費用は39,955,040円（うち消費税額等3,632,276円）であり、すべて共通課税仕入れに該当する。

(16)　「受取利息」の内訳は、預金利息676,800円、割引国債の償還を受けたことによる償還差益1,716,800円及び貸付金利息1,385,600円である。

(17)　「受取配当金」の内訳は、株式投資信託の収益分配金（普通分配金）748,000円、上

場株式に係る期末配当金・中間配当金の合計額916,640円及び信用金庫から受けた出資配当金161,760円である。

(18) 「社宅使用料収入」は、上記(11)①の社宅の使用料として従業員から徴収したものである。

(19) 「貨物保管料収入」は、上記(11)③の指定保税地域内に賃借している倉庫において、国内の取引先である内国法人B社所有の貨物（輸入許可後の貨物である。）を保管したことにより収受したものである。

(20) 「償却債権取立益」は、前々課税期間における国内商品販売に係る売掛金で前課税期間に貸倒れとなったものを当課税期間において回収できたことによるものである。

(21) 「雑収入」の内訳は、次のとおりである。

① 不要備品の売却収入　　　　　　　　　296,600円（うち消費税額等26,963円）

　　本社ビルの売却（下記(24)参照）に伴い、不要となった備品をリサイクル業者に売却したことによるものである。

② 商標権使用料収入　　　　　　　　　1,260,000円（うち消費税額等114,545円）

　　内国法人C社から取得した商標権（下記3(4)参照）を内国法人D社に使用させたことにより収受したものである。

③ 為替差益　　　　　　　　　　　　　　　　　　　　　89,500円

　　外貨建取引についての法人税法等の規定に基づき適正に処理された結果生じたものである。

④ 広告料収入　　　　　　　　　　　　　　　　　　　240,000円

　　外国法人A社（上記(3)参照）の依頼を受けて、国内において同社の製品の広告宣伝を行ったことにより収受したものである。

⑤ 地代収入　　　　　　　　　　　　　90,000円（うち消費税額等8,181円）

　　国内に有する土地を内国法人E社に3週間貸し付けたことにより収受したものである。

⑥ 甲社の役員に対する商品の販売収入　　　　　　　　　150,000円

　　通常の販売価額315,000円、仕入価額252,000円の商品を上記金額によって販売したことによるものである。

(22) 「貸倒損失」は、当課税期間の国内商品販売に係る売掛金1,124,000円及び内国法人F社に対する貸付金702,000円が貸倒れとなったことによるものである。

(23) 「投資有価証券売却益」及び「有価証券売却手数料」は、当課税期間において売却した上場株式（売却価額80,000,000円、帳簿価額73,616,000円）の売却益及び支払手数料992,000円（うち消費税額等90,181円）である。なお、当該株式は国内の振替機関で取扱うものである。

(24) 「固定資産売却益」及び「固定資産売却手数料」は、都心の本社ビルの売却をしたことに伴う売却益（売却価額は土地1,846,000,000円、建物18,460,000円（うち消費税額等1,678,181円）であり、帳簿価額は土地1,681,000,000円、建物18,614,000円である。）及び支払手数料3,840,000円（うち消費税額等349,090円）である。

なお、当該支払手数料は、共通課税仕入れに該当する。

(25) 「交換差益」は、甲社所有の土地（交換時の時価100,000,000円、帳簿価額90,000,000円）と内国法人G社所有の土地（交換時の時価100,000,000円）とを交換したことにより、取得した土地の時価相当額と譲渡した土地の帳簿価額との差額を計上したことによるものである。

3 損益計算書に関する内容以外のものは、次のとおりである。

(1) 当課税期間において甲社の役員に車両(贈与時の時価1,550,000円、帳簿価額1,700,000円）を贈与しているが未処理である。

(2) 当課税期間において従業員用借上社宅の賃貸借契約の更新に際して更新料（返還されないもの）864,000円を支払っており、資産計上している。

(3) 当課税期間において本社ビルの賃貸借契約の締結に際して保証金（返還されるもの）11,340,000円及び権利金（返還されないもの）3,780,000円（うち消費税額等343,636円）を支払っており、いずれも資産計上している。

(4) 商品の商標権（国内のみで登録されているものである。）及び総務・経理部門にて使用する事務機器2台を当課税期間の末日において保有しているが、これらの資産は、いずれも令和5年8月において取得したものである。

これらの資産の取得価額は、商品の商標権3,192,000円、事務機器1,155,000円（1台当たり577,500円）である。

4 甲社の前課税期間（事業年度）以前の取引の状況は次のとおりであるが、いずれも消費税法第9条第1項《小規模事業者に係る納税義務の免除》及び同法第37条第1項《中小事業者の仕入れに係る消費税額の控除の特例》の規定の適用はない。

取 引 の 状 況	前々事業年度 自令和5年4月1日 至令和6年3月31日	前事業年度 自令和6年4月1日 至令和7年3月31日
Ⅰ　資産の譲渡等の金額	446,820,000円	817,560,000円
Ⅰのうち非課税取引に係るもの	3,360,000円	389,100,000円
Ⅰのうち免税取引に係るもの	44,640,000円	28,460,000円
Ⅱ　Ⅰの売上げに係る対価の返還等	24,184,000円	16,474,000円
Ⅱのうち非課税取引に係るもの	0円	0円
Ⅱのうち免税取引に係るもの	2,640,000円	2,260,000円

⇨解答：120ページ

問題8

　甲株式会社（適格請求書発行事業者に該当する。以下「甲社」という。）は、不動産賃貸業及び服飾雑貨の製造販売業を営んでいる法人であり、甲社の令和7年4月1日から令和8年3月31日までの当課税期間（事業年度）における取引の状況等は、次の〔資料〕のとおりである。

　これに基づき、当課税期間における確定申告により納付すべき消費税額（以下「納付税額」という。）又は還付を受けるべき消費税額（以下「還付税額」という。）を、その計算過程（判断を要する部分については、その理由を含む。）を示して計算しなさい。

　解答は、答案用紙の所定の箇所に記入し、個別に指示されている場合はその指示に従うこと。したがって、所定の箇所以外に記入されているものは、採点の対象としない。また、計算した数値が0となる場合は、0と記入し、空白と区別しなさい。

　なお、課税標準額に対する消費税額の計算に当たっては消費税法第45条第5項《消費税額の積上げ計算》の適用を受けないものとする。

　また、課税仕入れに係る消費税額の計算に当たっては消費税法施行令第46条第3項《総額割戻し方式》の適用を受けることとする。

〔計算に当たっての前提事項〕

1．会計帳簿における経理について、すべて消費税及び地方消費税（以下「消費税等」という。）を含んだ金額により処理（税込経理）されている。

2．取引等は、特に断りのある場合を除き、

　・　国内において行われたものとする。

　・　他の者から受けた軽減対象課税資産の譲渡等は無いものとする。

　・　収入及び支出において消費税等の経過措置により旧税率が適用される取引は無いものとする。

3．納付税額又は還付税額の計算に当たって、消費税法の規定に基づき適用される計算方法が2以上ある事項については、それぞれの計算方法による計算結果を示し、納付税額が最も少なくなる方法又は還付税額が最も多くなる方法を採用するものとする。

4．甲社は設立以来前課税期間まで、消費税の納税義務者となる場合で課税売上割合が95％未満となる場合の課税期間又は課税期間における課税売上高が5億円を超える課税期間については、個別対応方式（消費税法第30条第2項第1号に規定する計算方法）により仕入れに係る消費税額の計算を行っており、当課税期間についても個別対応方式を適用するための課税仕入れ等の区分は正しく行われているものとする。

　なお、課税売上割合に準ずる割合の承認は受けていない。

5．甲社は、「消費税課税事業者選択届出書」（消費税法第9条第4項に規定する届出書をい

う。）及び「消費税簡易課税制度選択届出書」（消費税法第37条第1項に規定する届出書をいう。）を提出したことはない。

6．当課税期間中の中間申告により納付すべき消費税額は、租税公課として経理されているが、当課税期間中の中間申告に当たっては、消費税法第43条（仮決算をした場合の中間申告書の記載事項等）の規定を適用した仮決算による中間申告書は提出されていない。

7．国内において行われた課税資産の譲渡等で消費税が免除される取引（以下「免税取引」という。）については、必要な手続きはすべて行われており、当課税期間中に行われた免税取引に係る書類又は帳簿は法令に従って保存されている。また、免税取引の相手方は、甲社の行う課税資産の譲渡等のすべてについて免税の適用を受けることができる者である。

8．課税仕入れ及び保税地域からの引取りに係る課税貨物について、課税資産の譲渡等にのみ要するもの、課税資産の譲渡等以外の資産の譲渡等（以下「その他の資産の譲渡等」という。）にのみ要するもの及び課税資産の譲渡等とその他の資産の譲渡等に共通して要するもの（以下「共通課税仕入れ」という。）の区分については、特に記載があるものを除き、資産の譲渡等との対応関係が明確であるものは、課税資産の譲渡等にのみ要するもの又はその他の資産の譲渡等にのみ要するものとし、これら以外のものは共通課税仕入れとする。

9．甲社は、帳簿及び適格請求書等（その写しを含む。）を適正に保存しているものとする。

10．売上値引及び戻り高等・仕入値引及び戻し高等については、適格返還請求書に記載した又は記載された消費税額は使用しない割戻し方式により計算するものとする。

11．「消費税額等」とは、甲社が発行した又は受領した適格請求書等に記載の消費税額等の合計額をいう。

〔資　料〕

1　甲社の令和5年1月1日以後に開始した各事業年度における取引状況等は、次のとおりであるが、いずれの事業年度とも消費税法第9条第1項《小規模事業者に係る納税義務の免除》の規定の適用はない。なお、12月31日決算から3月31日決算への変更に伴い、令和7年1月1日に開始した事業年度は令和7年3月31日で終了している。

取引の状況	自令和5年1月1日 至令和5年12月31日	自令和6年1月1日 至令和6年12月31日	自令和7年1月1日 至令和7年3月31日
Ⅰ　資産の譲渡等の金額	1,760,494,400	900,520,500	280,130,800
Ⅰのうち国外取引に係るもの	0	0	4,834,500
Ⅰのうち非課税取引に係るもの	880,555,500	26,900,000	31,725,000
Ⅰのうち免税取引に係るもの	282,009,500	296,852,000	74,213,500
Ⅱ　Ⅰの売上げに係る対価の返還等	7,229,025	7,609,500	1,902,300
Ⅱのうち国外取引に係るもの	0	0	508,000
Ⅱのうち非課税取引に係るもの	0	0	0
Ⅱのうち免税取引に係るもの	1,962,600	2,023,790	760,900

2　甲社の前課税期間（令和7年1月1日から令和7年3月31日まで）に係る消費税額（当課税期間における中間申告により納付すべき消費税額の計算の基礎となる消費税額）1,833,300円は、確定申告（期限内申告）により確定したものであり、これに基づいて当課税期間の中間申告を行っている。

3　甲社の当課税期間の損益計算書及び製造原価報告書の内容は、次のとおりである。

損　益　計　算　書

（自令和7年4月1日　至令和8年3月31日）　　　（単位：円）

【売　　　　上　　　　高】		987,634,600
服　飾　雑　貨　売　上　高	982,382,400	
売　上　値　引　及　び　戻　り　高	△9,435,800	
不　動　産　賃　貸　収　入	14,688,000	
【売　　　　上　　　　原　　　　価】		538,809,582
期首製品・商品棚卸高	53,472,754	
当　期　製　品　製　造　原　価	500,290,991	
商　　品　　仕　　入　　高	30,641,886	
仕　入　値　引　及　び　戻　し　高	△1,754,000	
合　　　　計	582,651,631	
期末製品・商品棚卸高	43,842,049	
売　上　総　利　益		448,825,018
【販売費及び一般管理費】		380,046,217
役　　員　　報　　酬	63,440,000	
給　　与　　手　　当	128,256,080	
法　定　福　利　費	22,256,080	

問題
8

問
題

福 利 厚 生 費	3,863,859	
荷 造 運 搬 費	49,433,395	
旅 費 交 通 費	12,576,277	
寄 附 金	340,000	
広 告 宣 伝 費	3,990,000	
通 信 費	9,243,991	
消 耗 品 費	818,150	
減 価 償 却 費	18,916,438	
接 待 交 際 費	13,008,706	
水 道 光 熱 費	5,018,851	
修 繕 費	1,220,500	
保 険 料	8,160,000	
地 代 家 賃	10,320,000	
諸 会 費	420,000	
支 払 手 数 料	2,068,800	
租 税 公 課	18,176,500	
そ の 他 の 費 用	8,518,590	
営 業 利 益		68,778,801
【営 業 外 収 益】		2,714,742
受 取 利 息	347,642	
受 取 配 当 金	505,600	
雑 収 入	1,861,500	
【営 業 外 費 用】		17,274,139
支 払 利 息	9,865,052	
貸 倒 損 失	5,246,819	
為 替 差 損	2,162,268	
経 常 利 益		54,219,404
【特 別 収 益】		17,865,500
固 定 資 産 売 却 益	10,915,500	
有 価 証 券 売 却 益	3,870,000	
保 険 差 益	1,500,000	
償 却 債 権 取 立 益	1,580,000	
【特 別 損 失】		1,500,000
建 物 圧 縮 損	1,500,000	

| | 税 引 前 当 期 利 益 | | 70,584,904 |

製 造 原 価 報 告 書

（自令和7年4月1日　至令和8年3月31日）　　　　（単位：円）

【材　　料　　費】		366,467,738
期 首 材 料 棚 卸 高	59,587,218	
材 料 仕 入 高	349,167,500	
材 料 値 引 及 び 戻 し 高	△49,600	
小　　計	408,705,118	
期 末 材 料 棚 卸 高	42,237,380	
【労　　務　　費】		73,920,000
【経　　　　　費】		61,406,600
当 期 総 製 造 費 用		501,794,338
期 首 仕 掛 品 棚 卸 高		42,299,224
期 末 仕 掛 品 棚 卸 高		43,802,571
当 期 製 品 製 造 原 価		500,290,991

4　損益計算書及び製造原価報告書の内容に関して付記すべき事項は、次のとおりである。

(1)　「服飾雑貨売上高」の内訳等は、次のとおりである。

①　甲社が製造した帽子（以下「製品」という。）の国内における売上高

539,921,000円（うち消費税額等49,083,727円）

②　甲社が製造した製品を海外企業へ直接販売した輸出売上高　　　231,826,700円

上記金額のうち、3,430,000円は外国法人A社の国内支店から注文を受け、A社の本店に直接納品したものである。

③　甲社が仕入れた服飾雑貨（以下「商品」という。）の国内における売上高

33,415,200円（うち消費税額等3,037,745円）

④　甲社が仕入れた商品を海外企業へ直接販売した輸出売上高　　　8,487,400円

⑤　甲社の国外支店における製品及び商品の売上高　　　　　　　168,732,100円

⑥　その他の事項

甲社の国外支店に移送した製品及び商品（その輸出時のFOB価格72,077,300円）

がある。

(2)　「売上値引及び戻り高」の内訳は、次のとおりである。

①　製品の売上げに係る金額　　　　　　　　　　　　　　　　　6,787,500円

上記金額の内訳は、次のとおりである。

イ　当課税期間の国内における売上げに係るもの

4,263,700円（うち消費税額等387,609円）

  ロ 前課税期間の輸出売上げに係るもの   2,403,000円

    上記金額には、A社に対する売上げに係るものは含まれていない。

  ハ 当課税期間の国外支店の売上げに係るもの   120,800円

 ② 商品の売上げに係る金額   2,648,300円

  上記金額の内訳は、次のとおりである。

  イ 前課税期間の国内における売上げに係るもの

1,531,600円（うち消費税額等139,236円）

  ロ 当課税期間の輸出売上げに係るもの   1,116,700円

(3) 「不動産賃貸収入」は、甲社が所有している2階建てのマンション（以下「マンション」という。）に係る収入であるが、この内訳は、次のとおりである。なお、1階の一部は、甲社の製品及び商品の店舗として使用している。

 ① マンションの1階部分の貸店舗に係る賃貸収入等

2,808,000円（うち消費税額等255,272円）

  建物の1階の一部を、従来より個人事業者Bに店舗として貸付けている。

 ② マンションの2階部分に係る賃貸収入等   11,880,000円

  甲社は、マンションの2階部分について、内国法人C社の従業員用社宅として、C社から賃貸料を収受していたが、契約期間が終了したことにより、C社との契約を解消し、新たに内国法人D社と賃貸借契約を締結した。D社は、令和7年10月1日より、当該2階部分をウィークリーマンション（旅館業法第2条第1項に規定する旅館業に係る施設に該当する。）として使用している。

  上記金額は、C社から収受した4,680,000円、D社から収受した5,400,000円（うち消費税額等490,909円）及びD社の契約時に収受した保証金で返還を要しない金額1,800,000円（うち消費税額等163,636円）の合計額である。

(4) 「当期製品製造原価」（すべて製品の製造に要したものである。）に関する事項

 ① 「材料仕入高」には、甲社が国内工場で使用するために輸入し、保税地域から引き取った材料分14,236,100円が含まれており、残額334,931,400円（うち消費税額等30,448,309円）は、国内における課税仕入れに該当するものである。

  なお、保税地域から引き取った材料の金額には、輸入の際税関に納付した消費税額908,000円及び地方消費税額256,100円、当課税期間中に引き取った課税貨物につき納期限の延長を受けて未納となっている消費税額101,400円及び地方消費税額28,600円が含まれている。

 ② 「材料値引及び戻し高」は、当課税期間に保税地域から引き取った材料につき、仕入先である外国法人E社（国内に支店等を有していない。）から受けたリベートである。

なお、税関手続きはしていない。

③ 「労務費」の内訳は、次のとおりである。

イ 賃金手当（うち、従業員の昼食代補助として支給した現金630,000円が含まれている。） 68,000,000円

ロ 社会保険料及び労働保険料の甲社負担分 5,920,000円

④ 「経費」の内訳は、次のとおりである。

イ 外注加工費 4,519,000円（うち消費税額等410,818円）

製造過程の一部を内国法人F社に委託したものである。

ロ 商標権使用料 800,000円

甲社の製品の製造に関し、内国法人G社に支払った商標権（日本でのみ登録されている。）の使用料300,000円（うち消費税額等27,272円）及び外国法人H社（国内に支店等を有していない。）に支払った商標権（日本とドイツで登録されている。）の使用料500,000円の合計額である。

ハ 上記以外の経費のうち、課税仕入れに該当するもの

35,218,964円（うち消費税額等3,201,724円）

ニ 上記以外の経費のうち、課税仕入れに該当しないもの 20,868,636円

(5) 「商品仕入高」の内訳は、次のとおりである。

① 国内において仕入れた商品の仕入金額

20,006,786円（うち消費税額等1,818,798円）

② 甲社の国外支店において販売するため、外国法人J社（国内に支店等を有していない。）から直接支店に納入した商品の仕入金額 10,635,100円

(6) 「仕入値引及び戻し高」1,754,000円（うち消費税額等159,454円）は、すべて前課税期間の国内における商品の課税仕入れに係るものである。

(7) 販売費及び一般管理費に関する事項

① 「給与手当」には、次の金額が含まれている。

イ 人材派遣会社に支払った本社事務スタッフの派遣料

3,600,000円（うち消費税額等327,272円）

ロ 甲社の国内の関連会社と出向契約を交わし、出向社員を本社に受け入れたことに伴い、当該関連会社へ支払った金額 1,440,000円

② 「福利厚生費」には、次のものが含まれており、残額1,193,859円（うち消費税額等108,532円）はすべて共通課税仕入れに該当する。

イ 従業員に対する慶弔金（現金による支出） 160,000円

ロ 従業員の慰安のための国内旅行費用 1,520,000円

上記金額は、旅行代金1,473,560円（うち消費税額等133,960円）、入湯税16,000

円、都合により急遽参加できなかった従業員の宿泊に係るキャンセル料10,000円、

　　　航空機の取消手数料20,000円（搭乗料金の50%に相当するもの）及び払戻手数料440

　　　円（うち消費税額等40円、事務手数料に相当するもの）の合計額である。

　　ハ　契約診療所に支払った従業員の健康診断の費用

　　　　　　　　　　　　　　　　　　　　990,000円（うち消費税額等90,000円）

③　「荷造運搬費」の内訳は、次のとおりである。

　　イ　製品及び商品の輸出等に際して支払った通関手数料　　　　　　　1,023,000円

　　ロ　製品及び商品の国内の港から海外の港までの輸送運賃　　　　　　8,821,731円

　　ハ　製品及び商品の海外での輸送運賃　　　　　　　　　　　　　　　4,647,505円

　　ニ　輸出許可済の製品及び商品の指定保税地域内における荷役料　　　　378,610円

　　ホ　製品及び商品の国内輸送運賃　　34,562,549円（うち消費税額等3,142,049円）

④　「旅費交通費」には、従業員の通勤手当4,846,920円（うち国外支店の従業員に対す

　　る通勤手当でガソリン代に相当するもの1,008,000円）、海外出張の際の国際線の航空

　　運賃1,956,230円及び海外でのホテル代等の滞在費536,724円（うち日当140,000円）が

　　含まれており、残額5,236,403円（うち消費税額等476,036円）はすべて共通課税仕入

　　れに該当する。

⑤　「寄附金」の内訳は、次のとおりであり、このうち課税仕入れとなるものは、すべ

　　て共通課税仕入れに該当する。

　　イ　甲社が国内で購入し、老人保護施設に寄贈した骨董品の購入費

　　　　　　　　　　　　　　　　　　　　280,000円（うち消費税額等25,454円）

　　ロ　現金により支出したもの　　　　　　　　　　　　　　　　　　　60,000円

⑥　「広告宣伝費」は、すべて甲社の新製品のパンフレット作成に係るものであるが、

　　内訳は、次のとおりである。

　　イ　内国法人K社に支払った日本語版及び英語版のパンフレット紙面の企画・制作料

　　　　　　　　　　　　　　　　　　1,450,000円（うち消費税額等131,818円）

　　ロ　本社納品用に、内国法人L社に支払った上記イに係る印刷料

　　　　　　　　　　　　　　　　　　1,650,000円（うち消費税額等150,000円）

　　ハ　海外支店納品用に、外国法人M社（国内に支店等を有していない。）に支払った上

　　　記イに係る印刷料　　　　　　　　　　　　　　　　　　　　　　　890,000円

⑦　「通信費」には、国際電話料金298,671円が含まれているが、残額8,945,320円（う

　　ち消費税額等813,210円）はすべて共通課税仕入れに該当する。

⑧　「消耗品費」818,150円（うち消費税額等74,377円）は、すべて共通課税仕入れに該

　　当する。

⑨　「減価償却費」には、次の車両に係るものが含まれている。

当該車両は甲社役員が使用しており、当課税期間の10月20日に割賦購入の方法により取得したものである。なお、取得価額は3,300,000円（うち割賦購入手数料26,400円及び消費税額等297,600円）であり、代金の支払方法は、次のとおりである。

イ　頭金（10月20日支払い分）　　　　　　　　　　　　　　　　　　　　660,000円

ロ　残額は、令和7年10月31日を初回として、毎月末日110,000円の24回均等払い

⑩　「接待交際費」の内訳は、次のとおりであり、このうち課税仕入れとなるものは、すべて共通課税仕入れに該当する。

イ　ゴルフプレー費　　　　　　　　　　　　　　　　　　　　　　　　　826,000円

　　　上記金額は、国外のゴルフ場におけるプレー費180,300円及び国内のゴルフ場におけるプレー費645,700円（うちゴルフ場利用税36,800円及び消費税額等55,354円）の合計額である。

ロ　取引先に対する国内における飲食・接待費

　　　　　　　　　　　　　　　　9,376,000円（うち消費税額等852,363円）

ハ　取引先に対する国内における慶弔金　　　　　　　　　　　　　　　　790,000円

　　　上記金額には、生花代291,500円（うち消費税額等26,500円）が含まれており、残額は慶弔金として現金により支出したものである。

ニ　取引先に対する中元・歳暮代（飲食料品に該当する。）

　　　　　　　　　　　　　　　　220,000円（うち消費税額等16,296円）

ホ　その他課税仕入れに該当するもの　　1,796,706円（うち消費税額等163,336円）

⑪　「水道光熱費」には、国外支店に係るもの905,038円が含まれており、残額4,113,813円（うち消費税額等373,983円）はすべて共通課税仕入れに該当する。

⑫　「修繕費」の内訳は、次のとおりである。

イ　製品・商品配送用の車両の修繕費　　　298,000円（うち消費税額等27,090円）

ロ　本社の窓ガラスが破損したことによる修繕費

　　　　　　　　　　　　　　　　126,000円（うち消費税額等11,454円）

ハ　マンションの2階部分の修繕費　　　796,500円（うち消費税額等72,409円）

　　　上記金額は、C社との賃貸借契約解消後、新たにD社に賃貸するために行った修繕に係るものであるが、資本的支出に該当するものはない。（上記(3)②参照）

⑬　「地代家賃」の内訳は、次のとおりである。

イ　輸入材料、輸出用製品及び商品を保管するため、指定保税地域内に賃借している
　　倉庫の家賃　　　　　　　　　2,760,000円（うち消費税額等250,909円）

ロ　本社の家賃　　　　　　　　　4,560,000円（うち消費税額等414,545円）

ハ　国外支店の家賃　　　　　　　　　　　　　　　　　　　　　　　　3,000,000円

　　　なお、国外支店の賃貸借契約は、すべて現地の不動産会社を通じて行ったもので

問題8

問題

ある。

⑭ 「諸会費」は、業界団体組合の通常会費に係るものであり、すべて対価性のない取引に係るものである。

⑮ 「支払手数料」の内訳は、次のとおりであり、このうち、課税仕入れとなるものは、すべて共通課税仕入れに該当する。

　イ　顧問税理士に支払った報酬　　　　　　1,200,000円（うち消費税額等109,090円）

　ロ　国内の取引先に送金した際に取引銀行に支払った送金手数料

　　　　　　　　　　　　　　　　　　436,800円（うち消費税額等39,709円）

　ハ　国外の取引先に送金した際に取引銀行に支払った送金手数料　　　432,000円

　　　上記金額は、消費税法別表第二第5号に規定する外国為替業務に係る役務の提供に該当する。

⑯ 「その他の費用」のうち、課税仕入れとなるものは4,131,218円（うち消費税額等375,565円）及び軽減税率の対象となるもの48,000円（うち消費税額等3,555円）であり、すべて共通課税仕入れに該当する。

(8) 「営業外損益」に関する事項

① 「受取利息」は、預金利息148,776円及び貸付金利息198,866円（うち45,000円は、外国法人H社に対する貸付金の利息である。上記(4)④ロ参照）の合計額である。なお、預金及び貸付金に係る契約の締結等は、すべて日本国内の甲社財務部において行っている。

② 「受取配当金」には、株式投資信託の分配金26,135円が含まれており、残額は上場会社の普通株式に係るものである。

③ 「雑収入」の内訳は、次のとおりである。

　イ　貨物保管料収入　　　　　　　　　　　　　　　　　　　880,000円

　　　甲社が指定保税地域内に賃借している倉庫において、内国法人N社の保有する外国貨物を当課税期間中に一時的に保管したことにより、N社から収受した金額である。

　ロ　販売奨励金　　　　　　　　　　201,500円（うち消費税額等18,318円）

　　　国内の仕入先から、前課税期間における商品の購入数量に応じ、現金により支払われたものである。

　ハ　信用の保証料　　　　　　　　　　　　　　　　　　　780,000円

　　　当課税期間において甲社の国内の取引先である内国法人O社の債務につき、甲社が連帯保証を負ったことにより、内国法人O社から収受したものである。

④ 「貸倒損失」の内訳は、次のとおりである。

　イ　前課税期間の国内の取引先に対する製品販売に係る売上債権の一部が回収不能と

なった金額 5,078,819円

　　　ロ　前課税期間の国外支店における製品販売に係る売上債権の一部が回収不能となった金額 168,000円

　⑤　「為替差損」は、外貨建取引について法人税法等の規定に基づき適正に処理された結果生じたものである。

（9）「特別損益」に関する事項

　①　「固定資産売却益」の内訳は、次のとおりである。

　　　イ　国内に所在する商品保管用倉庫に係るもの 10,758,000円

　　　　当課税期間において商品保管用倉庫（土地付建物に該当し、帳簿価額は土地30,000,000円、建物15,562,000円である。）を58,000,000円で譲渡した際に計上したものである。なお、売却時に支払った手数料1,680,000円（うち消費税額等152,727円、共通課税仕入れに該当する。）は売却益から控除している。

　　　　また、当該土地付建物は、甲社が国内において所有していたものであり、その土地と建物の時価比は、7対3である。

　　　ロ　国外に所在する土地に係るもの 157,500円

　　　　当課税期間において国外に所在する土地（帳簿価額18,000,000円）を18,750,000円で譲渡した際に計上したものである。なお、売却時に国外の不動産業者に支払った手数料592,500円は、売却益から控除している。

　②　「有価証券売却益」は、当課税期間において上場会社の普通株式（帳簿価額21,000,000円）を25,000,000円で譲渡した際に計上したものである。なお、売却時に支払った手数料130,000円（うち消費税額等11,818円）は、売却益から控除している。

　③　「保険差益」は、当課税期間に甲社の商品倉庫が火事に遭ったことに伴い、保険会社から支払われた保険金額8,500,000円と、商品倉庫の帳簿価額5,600,000円及び倉庫建て替えのための旧倉庫の取り壊し費用1,400,000円（うち消費税額等127,272円）との差額である。

　　　なお、建て替えた商品倉庫（下記5（5）参照）については、法人税法第47条《保険金等で取得した固定資産等の圧縮額の損金算入》の規定の適用を受けるため、借方「建物圧縮損」1,500,000円、貸方「建物」1,500,000円と経理し、帳簿価額を減額している。

　④　「償却債権取立益」は、令和5年8月に国内の事業者に販売した商品に係る売掛金につき、令和6年10月に貸倒処理をしたものが、当課税期間に回収できたことにより計上したものである。

5　その他の事項

　甲社の各課税期間の固定資産の取得状況は次のとおりであるが、特に断りのある場合を

問題8
問題

除き、当課税期間の末日において所有している。

	取得年月日	名　　称	支払金額	用　途　等
(1)	令和5年7月1日	システムキッチン	1,085,000円	※1参照
(2)	令和6年2月2日	ゴルフ会員権	2,200,000円	社員の福利厚生用
(3)	令和6年4月1日	応接ソファ	1,347,400円	※2参照
(4)	令和7年10月10日	土　地	73,000,000円	※3参照
(5)	令和8年2月9日	建　物	9,500,000円	※4参照

※1　上記4(3)②のマンションの2階部分の1室につき、導入し設置したものであり、支払金額のうち据付費50,000円が含まれている。

※2　輸入した社長室の応接ソファ（本体価格950,000円、保税地域からの引取りに際し税関に納付した消費税額95,500円、地方消費税額26,900円、海外の港から本邦の港までの運賃及び保険料120,000円、引取りに係る関税の額155,000円）である。

※3　甲社が製品の国内販売に係る新工場を建設するため、国内において取得したものである。これに伴い、不動産業を営む内国法人S社に、土地購入手数料3,800,000円（うち消費税額等345,454円）を支払っている。

　　なお、工場の建設及び完成予定は、令和8年8月の予定である。

※4　上記4(9)③の建て替えた商品倉庫であり、支払金額は、圧縮損を計上する前のものである。なお、支払金額には、消費税等863,636円が含まれている。

⇨解答：128ページ

　甲株式会社（適格請求書発行事業者に該当している。以下「甲社」という。）は、食器の製造販売業及び不動産賃貸業を営んでいる。甲社の令和7年4月1日から令和8年3月31日までの当課税期間（事業年度）における取引等の状況は次の〔資料〕のとおりである。これに基づき、当課税期間における納付すべき消費税額をその計算過程（判断を要する部分については、その理由を含む。）を示して計算しなさい。

　なお、課税標準額に対する消費税額の計算に当たっては消費税法第45条第5項《消費税額の積上げ計算》の適用を受けないものとする。

〔計算に当たっての前提事項〕

(1)　会計帳簿による経理は、すべて消費税及び地方消費税を含んだ金額により処理（以下「税込経理」という。）されている。

(2)　取引等は、特に断りのある場合を除き、

　　・　国内において行われたものとする。

　　・　収入において消費税等の経過措置により旧税率が適用される取引は無いものとする。

(3)　確定申告により納付すべき消費税額の計算に当たって、適用される計算方法が2以上ある事項については、それぞれの計算方法による計算結果を示し、当課税期間における納付すべき消費税額が最も少なくなる方法を採用するものとする。

(4)　甲社は、課税事業者選択届出書（消費税法第9条第4項に規定する届出書）を提出したことはないが、簡易課税制度選択届出書（消費税法第37条第1項に規定する届出書）を令和6年3月16日に提出している。

(5)　国内において行われた課税資産の譲渡等で消費税が免除される取引（以下「免税取引」という。）については、必要な手続はすべて行われており、当課税期間中に行われた免税取引に係る書類又は帳簿は法令に従って保存されている。また、免税取引の相手方は、甲社の行う課税資産の譲渡等のすべてについて、免税の適用を受けることができる者である。

(6)　当課税期間中の中間申告により納付すべき消費税額は、租税公課として経理されているが、当課税期間中の中間申告に当たっては、消費税法第43条（仮決算をした場合の中間申告書の記載事項等）の規定を適用した仮決算による中間申告書は提出されていない。

(7)　甲社は、帳簿及び適格請求書等（その写しを含む。）を適正に保存しているものとする。

(8)　売上値引及び戻り高・仕入値引及び戻し高については、適格返還請求書に記載した又は記載された消費税額は使用しない割戻し方式により計算するものとする。

〔資　料〕

1　甲社の当課税期間前の取引等の状況

　　甲社の各課税期間に係る取引は、次のとおりであり、前課税期間以前の各取引については、すべて消費税の納税義務者となっている。

取引の状況		前々事業年度	前事業年度
		自令和5年4月1日 至令和6年3月31日	自令和6年4月1日 至令和7年3月31日
Ⅰ　資産の譲渡等の金額		54,952,000円	55,180,000円
	Ⅰのうち非課税取引に係るもの	8,194,000円	2,728,100円
	Ⅰのうち免税取引に係るもの	2,202,000円	629,500円
Ⅱ　Ⅰの売上げに係る対価の返還等		2,480,000円	839,000円
	Ⅱのうち非課税取引に係るもの	0円	0円
	Ⅱのうち免税取引に係るもの	195,000円	51,000円

2　甲社の前事業年度に係る消費税額（当課税期間における中間申告により納付すべき消費税額の計算の基礎となる消費税額）997,500円は、確定申告（期限内申告）により確定したものであり、これに基づいて当課税期間の中間申告を行っている。

3　甲社の当課税期間の損益計算書の内容は、次のとおりである。

損　益　計　算　書

自令和7年4月1日　至令和8年3月31日　　　　（単位：円）

Ⅰ　売　　上　　高
　　　総　売　上　高　　　　　　　　74,274,600
　　　売上値引及び戻り高　　　　　　　1,126,600　　　　73,148,000
Ⅱ　売　　上　　原　　価
　　　期首製品・商品棚卸高　　　　　　1,920,000
　　　当期製品製造原価　　　　　　　20,411,700
　　　当期商品仕入高　　　　　　　　　7,210,100
　　　仕入値引及び戻し高　　　　　　　　505,600
　　　期末製品・商品棚卸高　　　　　　1,452,000　　　　27,584,200
　　　　　売　上　総　利　益　　　　　　　　　　　　　45,563,800
Ⅲ　販売費及び一般管理費
　　　役　員　報　酬　　　　　　　　13,850,000
　　　従業員給与手当　　　　　　　　14,215,200
　　　福　利　厚　生　費　　　　　　　1,419,300

荷 造 運 送 費	2,997,800	
旅 費 交 通 費	466,600	
寄 附 金	30,900	
販 売 促 進 費	202,600	
接 待 交 際 費	495,300	
広 告 宣 伝 費	378,000	
減 価 償 却 費	1,121,000	
修 繕 費	2,200,000	
租 税 公 課	2,913,000	
そ の 他 の 費 用	591,200	40,880,900
営 業 利 益		4,682,900
Ⅳ 営 業 外 収 益		
受 取 利 息 配 当 金	745,330	
償 却 債 権 取 立 益	384,170	
雑 収 入	2,200,200	3,329,700
Ⅴ 営 業 外 費 用		
支 払 利 息	446,200	
貸 倒 損 失	1,414,000	1,860,200
経 常 利 益		6,152,400
Ⅵ 特 別 利 益		
固 定 資 産 売 却 益	9,958,000	9,958,000
Ⅶ 特 別 損 失		
固 定 資 産 売 却 損	5,292,000	5,292,000
当 期 純 利 益		10,818,400

4 損益計算書の内容に関して付記すべき事項は、次のとおりである。

(1) 「総売上高」の内訳は、次のとおりである。

① 甲社が製造した食器（以下「製品」という。）の売上高（30,175,300円）

イ 国内の取引先である事業者に対する売上高　　　　　15,009,700円

ロ 国内店舗における消費者に対する売上高　　　　　　12,125,600円

ハ 地元商店街連合会（人格のない社団等に該当する。）に対する売上高　940,000円

地元商店街連合会が主催するイベントの景品用として通常の販売価額1,230,000円の製品を値引販売したものである。

ニ 甲社の取引先である海外の事業者に対する輸出売上高　　　　2,100,000円

② 甲社が仕入れたアンティークの食器（以下「商品」という。）の売上高（10,684,500

円）

    イ　国内の取引先である事業者に対する売上高　　　　　　　　　　2,977,000円

    ロ　国内店舗における消費者に対する売上高　　　　　　　　　　　5,817,500円

      上記金額には、数点の商品を甲社オリジナルのパッケージに箱詰めをして販売した売上高630,000円が含まれている。

    ハ　甲社の取引先である海外の事業者に対する輸出売上高　　　　1,890,000円

③　国内の消費者に対して行った絵付け教室による売上高（2,961,000円）

    甲社は国内店舗において月に一度絵付け教室を実施しており、上記金額は受講生から収受したものである。

④　不動産賃貸収入（30,453,800円）

    イ　甲社が所有する更地の賃貸料収入　　　　　　　　　　　　　3,600,000円

      駐車場業を営む乙社に対して貸し付けたものであり、貸付期間は2年間である。

    ロ　甲社が所有する更地を20日間貸付けたことにより収受した金額　　　55,000円

    ハ　甲社が経営するウィークリーマンションの賃貸料収入　　　11,972,800円

      当該貸付けは、消費税法施行令第16条の2《住宅の貸付けから除外される場合》に規定する旅館業法第2条第1項《定義》に規定する旅館業に該当する。

      また、上記金額のうち256,000円は、ウィークリーマンションの一室を賃借人A（非居住者）に対し2ヵ月間貸付けたことにより収受したものである。

    ニ　甲社が所有する賃貸マンション等の賃貸料収入　　　　　　14,826,000円

      賃貸マンションは、1階を事務所用、2階から5階を居住用に区分して貸付けており、貸付期間は1ヵ月以上となっている。収入の内訳は次のとおりである。

区　　分		入居者本人との契約	社宅として使用する法人との契約
家　　賃	（事務所用）	3,024,000円	―
	（居住用）	6,120,000円	4,200,000円
共　益　費	（事務所用）	292,300円	―
	（居住用）	459,700円	331,000円
駐車場賃貸料		399,000円	―

      共益費は、賃貸マンションの貸付けに際し、共益費の名目で建物の共有部分の水道光熱費に相当する金額を賃借人から収受したものである。また、駐車場賃貸料は賃貸マンションの入居者との間で賃貸マンションとは別個に契約している賃貸マンションの隣接地にある月極駐車場の賃貸に係るものである。

(2)　「売上値引及び戻り高」の内訳は、次のとおりであり、すべて当課税期間における売

上げに係るものである。なお、甲社は売上げの値引き及び返品については、すべて「売上値引及び戻り高」勘定で処理している。

① 甲社が製造した製品の国内の事業者に対する売上げに係るもの　　126,900円

② 国内で仕入れた商品の国内の事業者に対する売上げに係るもの　　890,500円

③ 国内で仕入れた商品の国内の消費者に対する売上げに係るもの　　109,200円

　　上記金額には、甲社が12月1日から12月23日までの期間中にクリスマス特別セールを実施し、一度に10,000円以上の商品を購入した顧客に対し1,000円のキャッシュバックを実施した金額79,000円が含まれている。

(3)　「当期製品製造原価」の内容は、次のとおりであり、「材料仕入高」はすべて課税仕入れに該当するものである。また、「労務費・経費」で課税仕入れに該当するものは3,967,400円である。

① 期首材料・仕掛品棚卸高　　487,000円

② 材料仕入高　　7,960,300円

③ 労務費・経費　　12,685,400円

④ 期末材料・仕掛品棚卸高　　721,000円

(4)　「当期商品仕入高」には、甲社が輸入し、保税地域から引き取った商品分3,316,400円が含まれており、これ以外は、国内における課税仕入れに該当するものである。

　　なお、3,316,400円には、保税地域からの引取りに際し税関に納付した消費税額235,100円及び地方消費税額66,300円が含まれている。

(5)　「仕入値引及び戻し高」には、輸入した商品の返品額94,500円が含まれており、これ以外のものについては、国内における課税仕入れに係るものである。

　　なお、この94,500円には、返品に伴い税関から還付を受けた消費税額6,700円及び地方消費税額1,800円が含まれている。

(6)　「従業員給与手当」のうち、1,978,400円は通勤手当であり、通常必要と認められる金額である。

(7)　「福利厚生費」のうち、1,209,300円は事業主負担の社会保険料及び労働保険料であり、その他の金額は次のとおりである。

① 従業員慰安のための国内旅行費用　　172,200円

② 従業員の慶弔に伴う祝い金及び見舞金　　22,050円

③ 従業員に対し支給した弁当（飲食料品）の購入費用　　15,750円

(8)　「荷造運送費」の内訳は、次のとおりである。

① 製品及び商品の国内輸送に係る運賃　　1,004,100円

② 輸出した製品及び商品に係る国内から国外までの輸送運賃　　762,200円

③ 輸出製品及び商品の指定保税地域内での荷役費及び保管料　　961,300円

④　輸出製品及び商品に係る通関業務料金　　　　　　　　　　　270,200円

(9)　「旅費交通費」は、すべて課税仕入れに該当するものである。

(10)　「寄附金」は、本社所在地における町内会主催の祭りのために行った現金による寄附25,000円と奉納した御神酒の購入費用5,900円である。

(11)　「販売促進費」の内訳は、次のとおりであり、それぞれ当課税期間における製品及び商品の売上げに係るものである。

　①　商品の購入者に対して配布した新作製品のチラシ作成費用　　　　25,300円

　②　製品の販売先である国内の事業者に対して金銭で支払った販売奨励金　42,300円

　③　製品の販売先である国内の事業者に配布した販売促進物品（非課税とされるものではない）の購入費　　　　　　　　　　　　　　　　　　　　　　135,000円

(12)　「接待交際費」の内訳は、得意先との飲食費（すべて外食代である。）241,500円、ゴルフプレー代148,800円（うちゴルフ場利用税7,200円）及び中元・歳暮用の商品券の購入費用105,000円である。

(13)　「広告宣伝費」は、すべて製品及び商品の販売に係るものである。

(14)　「修繕費」は、建物の維持のために要したものであり、ウィークリーマンションに係るもの1,406,000円と賃貸マンションに係るもの794,000円との合計額である。

(15)　「その他の費用」のうち、課税仕入れとなる費用は311,900円である。

(16)　販売費及び一般管理費に属する勘定科目で、「従業員給与手当」、「福利厚生費」、「旅費交通費」、「寄附金」、「接待交際費」及び「その他の費用」のうち課税仕入れとなるものは、課税資産の譲渡等とその他の資産の譲渡等に共通して要するものに該当する。

(17)　「受取利息配当金」の内訳は、預金利息247,930円、国債の利子185,000円及び株式投資信託の収益分配金312,400円である。

(18)　「償却債権取立益」は、前々課税期間に国内の取引先である事業者に販売した製品の代金が貸倒れとなったことにより、前課税期間において貸倒処理したものについて、当課税期間に回収できたことにより計上したものである。

(19)　「雑収入」の内訳は、次のとおりである。

　①　国内店舗のレジにおいて生じた現金過不足残高振替収入　　　　　10,500円

　②　甲社本社ビルの壁面広告料収入　　　　　　　　　　　　　　　907,200円

　　　内国法人B社の依頼によりB社製品の広告を行っているものである。

　③　甲社が賃貸マンションの賃借人Cと締結していた賃貸借契約（事務所用）を当該Cが中途解約することになったため、契約に基づき受け取った賃貸料相当額の解約金　　　　　　　　　　　　　　　　　　　　　　　　　　　　　　　210,000円

　　　なお、当該210,000円は上記(1)④ニの賃貸マンションの賃貸料収入には含まれていない。

④　自動販売機による売上高　　　　　　　　　　　　　　　　　　476,000円

　　当該金額は、他社から仕入れた缶ジュース（飲食料品）を国内店舗の外に設置され
ている自動販売機において販売しているものである。

⑤　国内の事業者に対して行った製品製造過程で生じた作業屑の売却代金 596,500円

⑳　「貸倒損失」は、甲社が製造した製品の前課税期間における国内売上げに係る売掛金
903,510円及び当課税期間に内国法人丙社から購入した債権（丙社が丙社の取引先に対
して有していた売掛金）510,490円が貸倒れたことにより計上したものである。

㉑　「固定資産売却益」の内訳は、次のとおりである。

①　甲社が所有する製品及び商品運搬用車両（帳簿価額2,271,600円）を2,553,100円で
売却したことにより計上した売却益　　　　　　　　　　　　　　　　281,500円

②　甲社が所有する保養所（土地付建物に該当し、土地の売却直前の帳簿価額は60,841,500
円、建物の売却直前の帳簿価額は39,482,000円である。）を110,000,000円で売却した
ことにより計上した売却益　　　　　　　　　　　　　　　　　　　9,676,500円

　　なお、売却時の土地と建物の時価の比率は6：4である。

㉒　「固定資産売却損」は、製品製造用機械（購入金額28,950,000円）を取得したことに
伴い下取りに出した製品製造用機械の売却損（下取金額15,312,100円、帳簿価額20,604,100
円）である。

5　その他の事項

　　甲社は、当課税期間において事業の用に供していた車両運搬具（時価1,320,000円、取
得価額3,210,000円）を、甲社の役員に対して贈与しているが、未処理である。

6　上記以外の事項について考慮する必要はない。

⇨解答：135ページ

問 題 10

　甲株式会社（令和5年10月1日から適格請求書発行事業者に該当している。以下「甲社」という。）は、靴の製造販売業及び卸小売業を営んでいる。甲社の令和7年4月1日から令和8年3月31日までの当課税期間（事業年度）における取引等の状況は次の〔資料〕のとおりである。これに基づき、当課税期間における確定申告により納付すべき消費税額をその計算過程（判断を要する部分については、その理由を含む。）を示して計算しなさい。

　なお、課税標準額に対する消費税額の計算に当たっては消費税法第45条第5項《消費税額の積上げ計算》の適用を受けないものとする。

〔計算に当たっての前提事項〕

(1) 会計帳簿による経理は、すべて消費税及び地方消費税を含んだ金額により処理（税込経理）されている。

(2) 取引等は、特に断りのある場合を除き、

　・　国内において行われたものとする。

　・　収入において消費税等の経過措置により旧税率が適用される取引は無いものとする。

(3) 確定申告により納付すべき消費税額の計算に当たって、適用される計算方法が2以上ある事項については、それぞれの計算方法による計算結果を示し、当課税期間における納付すべき消費税額が最も少なくなる方法を採用するものとする。

(4) 甲社は、消費税課税事業者選択届出書（消費税法第9条第4項に規定する届出書）を提出したことはないが、適用開始課税期間を前々課税期間（令和5年10月1日から令和6年3月31日まで）とする消費税簡易課税制度選択届出書（消費税法第37条第1項に規定する届出書）を令和5年9月25日に提出している。

(5) 当課税期間中の中間申告により納付すべき消費税額は、租税公課として経理されているが、当課税期間中の中間申告に当たっては、消費税法第43条（仮決算をした場合の中間申告書の記載事項等）の規定を適用した仮決算による中間申告書は提出されていない。

(6) 甲社は、帳簿及び適格請求書等（その写しを含む。）を適正に保存しているものとする。

(7) 課税仕入れ等について、課税資産の譲渡等にのみ要するもの、課税資産の譲渡等以外の資産の譲渡等（以下「その他の資産の譲渡等」という。）にのみ要するもの及び課税資産の譲渡等とその他の資産の譲渡等に共通して要するもの（以下「共通課税仕入れ」という。）の区分については、特に記載のあるものを除き、資産の譲渡等との対応関係が明確であるものは課税資産の譲渡等にのみ要するもの又はその他の資産の譲渡等にのみ要するものとし、これら以外のものは共通課税仕入れとする。

(8) 売上値引及び戻り高・仕入値引及び戻し高については、適格返還請求書に記載した又は

記載された消費税額は使用しない割戻し方式により計算するものとする。

〔資　料〕

1　甲社の前課税期間（事業年度）に係る確定申告書の提出（期限内申告）により、当初確定した消費税額（当課税期間における中間申告により納付すべき消費税額の計算の基礎となる消費税額）は830,700円である。

2　甲社は、国内及び国外から靴用雑貨を仕入れ、国内の事業者に販売しており、また、国内の自社工場で紳士靴を製造し、国内及び国外の事業者に販売している。

3　甲社の前課税期間以前の取引等の状況

　　甲社は、個人事業者乙（以下「乙」という。）が令和5年4月1日に資本金700万円で設立した法人（乙の事業を引き継いでおり、特定新規設立法人に該当しない。）である。なお、甲社は令和5年10月1日には資本金を1,000万円に増資しており、令和6年4月1日から事業年度を6か月から12か月に変更している。

　　各課税期間に係る取引等は次のとおりであり、税込経理されている。

（単位：円）

取引の状況		自令和5年4月1日 至令和5年9月30日	自令和5年10月1日 至令和6年3月31日	自令和6年4月1日 至令和7年3月31日
Ⅰ	資産の譲渡等の金額	10,832,100	28,069,700	52,143,900
	Ⅰのうち非課税取引に係るもの	652,000	459,400	957,100
	Ⅰのうち免税取引に係るもの	0	4,418,200	9,204,600
Ⅱ	Ⅰの売上げに係る対価の返還等	106,600	1,253,600	2,611,700
	Ⅰのうち非課税取引に係るもの	0	0	0
	Ⅱのうち免税取引に係るもの	0	113,500	236,600
Ⅲ	給与等の支払額	9,852,000	12,815,000	25,620,000

4　甲社の当課税期間の損益計算書の内容は、次のとおりである。

損　益　計　算　書

自令和7年4月1日　至令和8年3月31日　　（単位：円）

Ⅰ　売　　上　　高

　　総　売　上　高　　　　　　98,343,840

　　売上値引及び戻り高　　　　 3,211,560　　　　　95,132,280

Ⅱ　売　　上　　原　　価

　　期首製品・商品棚卸高　　　 2,304,000

　　当期製品製造原価　　　　　36,176,280

　　当期商品仕入高　　　　　　12,357,600

	仕入値引及び戻し高	1,080,720	
	期末製品・商品棚卸高	1,742,400	48,014,760
	売 上 総 利 益		47,117,520
Ⅲ	販売費及び一般管理費		
	役 員 報 酬	5,620,000	
	従 業 員 給 与 手 当	20,146,250	
	福 利 厚 生 費	1,783,200	
	荷 造 運 送 費	4,041,300	
	旅 費 交 通 費	631,200	
	寄 附 金	30,000	
	販 売 促 進 費	85,200	
	接 待 交 際 費	802,800	
	広 告 宣 伝 費	458,400	
	地 代 家 賃	5,040,000	
	減 価 償 却 費	858,000	
	租 税 公 課	2,939,000	
	その他の費用	1,254,700	43,690,050
	営 業 利 益		3,427,470
Ⅳ	営 業 外 収 益		
	受 取 利 息 配 当 金	811,800	
	不 動 産 賃 貸 収 入	7,808,000	
	雑 収 入	931,600	
	償 却 債 権 取 立 益	1,148,440	10,699,840
Ⅴ	営 業 外 費 用		
	支 払 利 息	636,000	
	貸 倒 損 失	1,668,500	2,304,500
	経 常 利 益		11,822,810
Ⅵ	特 別 利 益		
	投 資 有 価 証 券 売 却 益	656,400	
	固 定 資 産 売 却 益	2,230,000	2,886,400
Ⅶ	特 別 損 失		
	有 価 証 券 売 却 手 数 料	52,000	
	固 定 資 産 売 却 手 数 料	163,000	215,000
	当 期 純 利 益		14,494,210

5 損益計算書の内容に関して付記すべき事項は、次のとおりである。

(1) 「総売上高」の内訳は、次のとおりである。

①　甲社が製造した紳士靴（以下「製品」という。）の国内における売上高　61,199,700円

　　イ　国内の取引先である事業者に対する売上高　31,863,500円

　　ロ　国内店舗における消費者に対する売上高　29,336,200円

②　甲社が仕入れた靴用雑貨（以下「商品」という。）の国内における売上高

19,376,740円

　　イ　国内の取引先である事業者に対する売上高　10,256,250円

　　ロ　国内店舗における消費者に対する売上高　9,120,490円

　　　　上記金額には、商品をプレゼント用に箱詰めにしてセット販売した売上高828,200円及び甲社の店舗の従業員に対して行った社内販売による売上高（通常の販売価額の50%相当額で販売したものである。）525,800円が含まれている。

③　国内の得意先A社に対する売上高　　　　　　　　　　　　　　3,280,000円

　　イ　商品の売上高　　　　　　　　　　1,312,000円

　　ロ　製品の売上高　　　　　　　　　　1,968,000円

④　国内の得意先B社に対する売上高　　　　　　　　　　　　　　980,000円

　　　　甲社は、B社に対する借入金980,000円について、現金で返済することに代えて商品（通常の販売価額1,100,000円、仕入価額600,000円）をB社に引渡している。なお、差額について金銭の授受は行われていない。

⑤　製品及び商品に係る配送料収入　　　　　　　　　　　　　　　1,562,000円

　　　　国内店舗における販売については、販売代金とは別に配送料を受領している。なお、当該配送は甲社の配送部門が行っており、すべて国内の運送に係るものである。

⑥　国内店舗における広告料収入　　　　　　　　　　　　　　　　180,000円

　　　　国内店舗の屋上に看板を設置し広告料を収受したことによるものである。

⑦　修理売上高　　　　　　　　　　　　　　　　　　　　　　　　1,286,900円

　　　　販売した製品について別途受領した修理代である。

⑧　国外の事業者に対する製品の輸出売上高　　　　　　　　　　10,478,500円

(2) 「売上値引及び戻り高」の内訳は、次のとおりであり、すべて当課税期間における売上げに係るものである。なお、甲社は売上げの値引き及び返品については、すべて「売上値引及び戻り高」勘定で処理している。

①　国内の消費者に対する製品の売上げに係るもの　　　　　　　　1,985,360円

②　国内の事業者に対する商品の売上げに係るもの　　　　　　　　423,800円

③　国内店舗における消費者に対する商品の売上げに係るもの　　　56,800円

④　国内の得意先A社に対する売上高に係るもの　　　　　　　　　120,000円

—73—

A社に対する売上値引及び戻り高の金額は、商品に係るものと製品に係るものに区分されていない。なお、当該金額は、その区分されていない部分の計算根拠となった課税売上げの割合により合理的に区分するものとする。

⑤　国外の事業者に対する製品の輸出売上げに係るもの　　　　　　　　625,600円

(3) 「当期製品製造原価」の内容は、次のとおりであり、「材料仕入高」はすべて課税仕入れに該当する。また、「労務費・経費」で課税仕入れに該当するものは1,820,800円である。

①　期首材料・仕掛品棚卸高　　　　　　　　　　　　　　　　　　　　823,500円

②　材料仕入高　　　　　　　　　　　　　　　　　　　　　　　　　13,256,200円

③　労務費・経費　　　　　　　　　　　　　　　　　　　　　　　　22,906,200円

④　期末材料・仕掛品棚卸高　　　　　　　　　　　　　　　　　　　　809,620円

(4) 「当期商品仕入高」には、甲社が輸入し、保税地域から引き取った商品分2,342,900円が含まれており、これ以外は、国内における課税仕入れに該当する。

　　なお、2,342,900円には、保税地域からの引取りに際し税関に納付した消費税額166,100円及び地方消費税額46,800円が含まれている。

(5) 「仕入値引及び戻し高」は、すべて当課税期間に行った国内における課税仕入れに係るものである。

(6) 「従業員給与手当」のうち、2,156,200円は従業員の通勤手当であり、通常必要と認められる金額である。

(7) 「福利厚生費」のうち、1,315,600円は事業主負担の社会保険料及び労働保険料であり、その他の金額は次のとおりである。

①　従業員慰安のための国内旅行費用　　　　　　　　　　　　　　　　409,600円

②　従業員の慶弔に伴う祝い金及び香典　　　　　　　　　　　　　　　 58,000円

(8) 「荷造運送費」の内訳は、次のとおりである。

①　製品及び商品の国内輸送に係る国内運賃　　　　　　　　　　　　2,814,600円

②　輸出した製品の指定保税地域内での荷役費及び保管料　　　　　　1,056,200円

③　輸出した製品に係る通関業務料金　　　　　　　　　　　　　　　　170,500円

(9) 「旅費交通費」は、すべて共通課税仕入れに該当する。

(10) 「寄附金」の内訳は、町内の神社の祭礼に伴う奉納金20,000円及び奉納した御神酒の購入費用10,000円である。このうち、課税仕入れとなる金額は、すべて共通課税仕入れに該当する。

(11) 「販売促進費」の内訳は、次のとおりである。

①　国内店舗のセール用のチラシ作成費用　　　　　　　　　　　　　　 62,700円

②　製品の販売先である国内の事業者に対して金銭で支払った販売奨励金　22,500円

すべて当課税期間の売上げに係るものである。

(12) 「接待交際費」の内訳は、得意先との飲食費526,000円、ゴルフプレー代61,800円（うちゴルフ場利用税5,500円）及び中元・歳暮用の商品券の購入費用215,000円である。

(13) 「広告宣伝費」は、すべて製品及び商品に係る広告掲載料金である。

(14) 「地代家賃」は、すべて国内店舗の賃借料である。

(15) 「減価償却費」及び「租税公課」には、課税仕入れに該当するものは含まれていない。

(16) 「その他の費用」のうち、課税仕入れとなる金額は695,600円であり、すべて共通課税仕入れに該当する。

(17) 「受取利息配当金」の内訳は、次のとおりである。

① 国内銀行の預金利息　　　　　　　　　　　　　　　　　　　　152,800円

② 国債の利子　　　　　　　　　　　　　　　　　　　　　　　　366,600円

③ 株式投資信託の収益分配金　　　　　　　　　　　　　　　　　292,400円

(18) 「不動産賃貸収入」の内訳は、次のとおりである。

① 事務所として賃貸しているテナントビルの賃貸料収入　　　　3,600,000円

② 居住用として賃貸しているアパートの賃貸料収入　　　　　　1,280,000円

③ 水道光熱費として上記①のテナントビルの賃借人から収受した金額　106,800円

④ 従業員に対して社宅を低額で貸付けたことにより収受した金額　240,000円

⑤ 20分単位で料金を設定している立体駐車場の利用料収入　　　2,461,200円

⑥ 甲社が所有する更地を近隣のビル工事の駐車場として2週間貸付けたことにより収受した金額　　　　　　　　　　　　　　　　　　　　　　　　　　120,000円

(19) 「雑収入」の内訳は、次のとおりである。

① 販売奨励金収入　　　　　　　　　　　　　　　　　　　　　　102,600円

　　商品の販売数量に応じて国内の仕入先から金銭により支払いを受けたものである。

② 前課税期間中の製品の盗難事故に対して支払われた損害保険の保険金　215,600円

③ 甲社の従業員がデパートに依頼されて、消費者向けにシューケア実演を行ったことにより支払いを受けた収入　　　　　　　　　　　　　　　　　　　　195,000円

④ 自動販売機の設置手数料収入　　　　　　　　　　　　　　　　132,600円

⑤ 為替差益　　　　　　　　　　　　　　　　　　　　　　　　　222,200円

⑥ 製品の国内運送中の事故に伴う損害賠償金収入　　　　　　　　　39,000円

　　加害者（法人）から被害を受けた製品の買取りの申し出を受けて、その製品を引き渡したことによるものである。なお、その製品は、梱包用の外箱が破損したのみで、製品本体の品質に関して事故の影響は特になかった。

⑦ 更正の請求により還付された還付税額　　　　　　　　　　　　　24,600円

　　前課税期間の消費税の確定申告書の計算が誤っていたため更正の請求を行い、令和

7年9月25日に更正処分を受け、還付された消費税額19,200円及び地方消費税額5,400円の合計額である。

(20)「償却債権取立益」は、甲社が前々課税期間に国内の事業者に販売した製品の代金で、前課税期間において貸倒処理したものについて、当課税期間に回収できたことにより計上したものである。

(21)「貸倒損失」の内訳は、次のとおりである。

① 当課税期間の国内商品販売に係る売掛金に係るもの　　　　　　　　725,600円

② 前課税期間の国内商品販売に係る売掛金に係るもの　　　　　　　　247,300円

③ 当課税期間における得意先C社に対する製品販売に係る売掛金に係るもの

695,600円

なお、消費税に相当する額は商品引渡時に受領済みであり、本体価格に相当する額が貸倒れとなったものである。

(22)「投資有価証券売却益」は、国内に所在するゴルフ場のゴルフ場利用株式（帳簿価額2,543,600円）を3,200,000円で売却したことにより計上した売却益である。

(23)「固定資産売却益」は、国内に所在する土地を譲渡したことによる売却益2,000,000円（譲渡価額32,000,000円、帳簿価額30,000,000円）及び製品及び商品配送用自動車（購入金額1,950,000円）を取得したことに伴い下取りに出した配送用自動車の売却益230,000円（下取金額782,000円、帳簿価額552,000円）の合計額である。

(24)「有価証券売却手数料」は、上記(22)のゴルフ場利用株式を売却したことにより計上したものである。

(25)「固定資産売却手数料」は、上記(23)の土地を売却したことにより計上したものである。

6　その他の事項

甲社は、当課税期間において本社の社長室に展示していた美術品（時価380,000円、取得価額500,000円）を、甲社の役員に対して贈与しているが未処理である。

⇨解答：143ページ

TAX ACCOUNTANT

解
答 編

問 題 1　　解 答

※　　□で囲まれた数字は配点を示す。

Ⅰ　課税標準額に対する消費税額の計算等

【課税標準額】

計　算　過　程	（単位：円）

	金額	472,500,000円

【課税標準額に対する消費税額】

計　算　過　程	（単位：円）	金額	
$472,500,000 \times 7.8\% = 36,855,000$		③	36,855,000円

【控除過大調整税額】

計　算　過　程	（単位：円）	金額	
$14,420,000 \times \dfrac{7.8}{110} = 1,022,509$		③	1,022,509円

Ⅱ　仕入れに係る消費税額の計算等

【課税売上割合】

計　算　過　程	（単位：円）

(1)　課　税

　①　472,500,000

　②　$(9,720,000 + 6,480,000) \times \dfrac{100}{110} = 14,727,272$

　③　①－②＝457,772,728 ≦ 500,000,000

(2)　非課税

　　1,000,000＋3,000,000③＋100,000,000×5％③＋111,000,000＝120,000,000

(3)　$\dfrac{(1)}{(1)+(2)} = \dfrac{457,772,728}{577,772,728} = 0.7923\cdots < 95\%$

∴　按分必要

割合		
	③	$\dfrac{457,772,728円}{577,772,728円}$

【控除対象仕入税額】

計　算　過　程	（単位：円）

(1)　課税仕入れ等の区分

① 課税資産の譲渡等にのみ要するもの

$244,464,000 + \underline{2,150,000}\boxed{3} + \underline{936,000}\boxed{3} = 247,550,000$

$247,550,000 \times \dfrac{7.8}{110} = 17,553,545$

② その他の資産の譲渡等にのみ要するもの

$1,492,500 + 3,390,000 = \underline{4,882,500}\boxed{3}$

$4,882,500 \times \dfrac{7.8}{110} = 346,213$

③ 共通して要するもの

$3,960,000 + \underline{(7,254,000 - 4,754,000 - 200,000)}\boxed{3} + \underline{4,900,000 + (1,500,000}$

$\underline{-1,000,000)}\boxed{3} + 7,400,000 = 19,060,000$

$19,060,000 \times \dfrac{7.8}{110} = 1,351,527$

④ 合　計

$247,550,000 + 4,882,500 + 19,060,000 = 271,492,500$

$271,492,500 \times \dfrac{7.8}{110} = 19,251,286$

(2)　個別対応方式

$17,553,545 + 1,351,527 \times \dfrac{457,772,728}{577,772,728} = 18,624,367$

(3)　一括比例配分方式

$19,251,286 \times \dfrac{457,772,728}{577,772,728} = 15,252,907$

(4)　判　定

(2) ＞ (3)　　∴　18,624,367	金額	18,624,367円

【売上げに係る対価の返還等に係る消費税額】

計 算 過 程 （単位：円）	金額		
$9,720,000+6,480,000=16,200,000$ $16,200,000 \times \dfrac{7.8}{110} = 1,148,727$	金額	③	1,148,727円

【貸倒れに係る消費税額】

計 算 過 程 （単位：円）	金額		
$5,000,000 \times \dfrac{7.8}{110} = 354,545$	金額	③	354,545円

Ⅲ 納付税額の計算

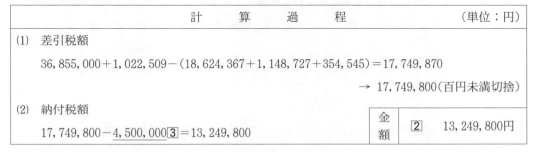

計 算 過 程　　　　　　　　　　（単位：円）

(1) 差引税額

$36,855,000+1,022,509-(18,624,367+1,148,727+354,545)=17,749,870$

→ $17,749,800$（百円未満切捨）

(2) 納付税額

$17,749,800-\underline{4,500,000}③=13,249,800$

金額	②	13,249,800円

【配　点】　③×16ヵ所　②×１ヵ所　　合計50点

1 課税標準額

(1)	商品売上高	493,675,000円
(2)	受取家賃	24,000,000円＝23,532,000円＋468,000円
(3)	車両の売却	800,000円
(4)	みなし譲渡（棚卸資産以外）	750,000円（注1）
(5)	みなし譲渡（棚卸資産）	525,000円（注1）
		519,750,000円

（注1）みなし譲渡（法4⑤、基通10－1－18）

みなし譲渡とは、法人の場合は「法人が資産をその役員に対し贈与した場合」をいう。

※みなし譲渡の場合の売上計上金額

区　　　分	判　　　定	棚卸資産以外	棚　卸　資　産
みなし譲渡	該　当　す　る	時　　　価	時価×50% 仕　入　価　額 ｝大

（注2）損害賠償金（基通5－2－5）

心身又は資産につき加えられた損害の発生に伴い受け取る損害賠償金は、課税の対象にはならない。

2 課税売上割合《非課税売上高》

(1)	受取利息	1,000,000円
(2)	受取地代	3,000,000円（注3）
(3)	上場株式の売却	5,000,000円＝100,000,000円×5%
(4)	土地の売却	111,000,000円
		120,000,000円

（注3）受取地代（法6、別表第二・一、令8）

土地の貸付けは非課税取引に該当する。

なお、土地の貸付けに係る期間が1月に満たない場合及び駐車場その他の施設の利用に伴って土地が使用される場合は課税取引となる。

3 課税仕入れ等の区分

(1) 課税資産の譲渡等にのみ要するもの

①	商品仕入高	244,464,000円
②	荷造運搬費	2,150,000円
③	地代家賃	936,000円（注4）
		247,550,000円

（注4）従業員用保養所の賃借料

　　　　居住用以外の建物の借受けであるため、課税仕入れとなる。

　　　　また、従業員から賃貸料を受け取っていることから、課税資産の譲渡等にのみ要する

　　　ものに該当する。

(2) その他の資産の譲渡等にのみ要するもの

①	株式売却手数料	1,492,500円（注5）
②	土地売却手数料	3,390,000円（注5）
		4,882,500円

（注5）株式売却手数料、土地売却手数料

　　　　株式の譲渡や土地の譲渡は非課税取引であるが、株式に係る役務の提供や土地に係る

　　　役務の提供は課税取引となる。

(3) 課税資産の譲渡等とその他の資産の譲渡等に共通して要するもの

①	通勤手当	3,960,000円
②	福利厚生費	7,254,000円
	社会保険料	△ 4,754,000円（注6）
	結婚祝金	△ 200,000円
③	接待飲食費	4,900,000円
④	贈答用品の購入代金	1,500,000円
	商品券購入代金	△ 1,000,000円（注7）
⑤	その他の費用	7,400,000円
		19,060,000円

（注6）保険料（法6、別表第二・三）

　　　　保険料を対価とする役務の提供は非課税取引となる。

　　　　したがって、本問における保険料の支払いは、非課税仕入れとなる。

（注7）物品切手等（法6、別表第二・四ハ）

　　　　商品券の譲渡は物品切手等の譲渡に該当し、非課税取引となる。

　　　　したがって、本問における商品券の購入は、非課税仕入れとなる。

問題 2

解 答

※　□で囲まれた数字は配点を示す。

I　基準期間における課税売上高

計　算　過　程	（単位：円）

(1)　$(1,980,803,258-5,753,258-79,120,000)\times\dfrac{100}{110}+79,120,000=1,802,692,727$

(2)　$(29,430,000-1,710,000)\times\dfrac{100}{110}+1,710,000=26,910,000$

(3)　$(1)-(2)=1,775,782,727$

金額	③1,775,782,727円

II　課税標準額に対する消費税額の計算等

【課税標準額】

計　算　過　程	（単位：円）

$3,078,047,000+727,678+1,503,000+4,660,000+\underline{200,000}③+194,950,000\times\dfrac{4}{6+4}$　③
$=3,163,117,678$

$3,163,117,678\times\dfrac{100}{110}=2,875,561,525\ \rightarrow\ 2,875,561,000$　（千円未満切捨）

金額	2,875,561,000円

【課税標準額に対する消費税額】

計　算　過　程　（単位：円）	金額
$2,875,561,000\times7.8\%=224,293,758$	224,293,758円

【控除過大調整税額】

計　算　過　程　（単位：円）	金額	
$713,000\times\dfrac{7.8}{110}=50,558$	③	50,558円

III　仕入れに係る消費税額の計算等

【課税売上割合】

計　算　過　程	（単位：円）

(1)　課　税

　①　$2,875,561,525+106,800,000=2,982,361,525$

　②　$35,550,900\times\dfrac{100}{110}+2,185,000=34,504,000$

　③　$①-②=2,947,857,525\ >\ 500,000,000$　　∴　按分必要

【課税売上割合】（続き）

計　算　過　程	（単位：円）

(2) 非課税

　　$1,853,974 + \underline{780,000}③ + 5,365,000 + \underline{68,700,000 \times 5\%}③ + 306,030,000 + 194,950,000$

　　$\times \dfrac{6}{6+4} = 434,433,974$

(3) $\dfrac{(1)}{(1)+(2)} = \dfrac{2,947,857,525}{3,382,291,499} = 0.8715\cdots < 95\%$

割	2,947,857,525円
合	3,382,291,499円

【控除対象仕入税額】

計　算　過　程	（単位：円）

(1) 課税仕入れ等の区分

　① 課税資産の譲渡等にのみ要するもの

　　イ 課税仕入れ

　　　$184,199,127 + 239,727 + 3,011,518 + 3,071,713 + \underline{164,545}③ + 2,069,168 + \underline{163,636}③$

　　　$= 192,919,434$

　　　$192,919,434 \times 78\% = 150,477,158$

　　ロ 課税貨物　　$\underline{17,586,900}③$

　　ハ 仕入返還等

　　　$6,246,345 \times 78\% = \underline{4,872,149}③$

　　ニ 引取還付　　$1,373,200$

　② その他の資産の譲渡等にのみ要するもの

　　　$196,363 \times 78\% = \underline{153,163}③$

　③ 共通して要するもの

　　　$\underline{324,545}③ + 371,063 + \underline{193,181}③ + 190,436 + 523,909 + 198,781 + 7,272 + 134,181$

　　　$+ \underline{584,116}③ + 1,545,172 + 4,148,409 = 8,221,065$

　　　$8,221,065 \times 78\% = 6,412,430$

　④ 合　計

　　イ 課税仕入れ

　　　$192,919,434 + 196,363 + 8,221,065 = 201,336,862$

　　　$201,336,862 \times 78\% = 157,042,752$

　　ロ 課税貨物　　$17,586,900$

　　ハ 仕入返還等　　$4,872,149$

　　ニ 引取還付　　$1,373,200$

(2) 個別対応方式

　　$(150,477,158 + 17,586,900 - 4,872,149 - 1,373,200) + 6,412,430 \times \dfrac{2,947,857,525}{3,382,291,499}$

　　$= 167,407,502$

【控除対象仕入税額】（続き）

計　算　過　程	（単位：円）
(3) 一括比例配分方式 $(157,042,752＋17,586,900)\times\dfrac{2,947,857,525}{3,382,291,499}－4,872,149\times\dfrac{2,947,857,525}{3,382,291,499}$ $－1,373,200\times\dfrac{2,947,857,525}{3,382,291,499}＝146,756,403$ (4) 判　定 　(2)　＞　(3)　　∴　167,407,502	

	金 額　　167,407,502円

【売上げに係る対価の返還等に係る消費税額】

計　算　過　程　　（単位：円）	金 額	③	2,520,882円
$35,550,900\times\dfrac{7.8}{110}＝2,520,882$			

【貸倒れに係る消費税額】

計　算　過　程　　（単位：円）	金 額	③	68,214円
$962,000\times\dfrac{7.8}{110}＝68,214$			

Ⅳ　納付税額の計算

計　算　過　程	（単位：円）
(1) 差引税額 　224,293,758＋50,558－(167,407,502＋2,520,882＋68,214)＝54,347,718 　→　54,347,700（百円未満切捨） (2) 納付税額 　54,347,700－16,437,600＝37,910,100	

	金 額　② 37,910,100円

【配　点】　③×16カ所　②×1カ所　　合計50点

解答への道

1　課税標準額

(1) 社内販売

　　従業員に対する商品の譲渡は、原則どおり、受領した金額が対価の額となる。

(2) 一時的な土地の貸付け（令8、基通6－1－4）

　　原則として、国内での土地の貸付けは非課税取引に該当するが、契約による土地の貸付期間が1月に満たない場合は課税取引となる。

(3) 社宅として使用していた土地付建物の売却（建物分）

　　建物の譲渡は、譲渡以前の目的にかかわらず、課税取引となる。

　　また、土地付建物の売却は課税資産と非課税資産の一括譲渡に該当することから、時価の比をもって課税売上高と非課税売上高を算出する。なお、課税資産と非課税資産を一括して譲渡した場合において、その売却価額が課税資産の譲渡等と非課税資産の譲渡等に合理的に区分されているときは、その区分された対価の額による。

2　課税売上割合《非課税売上高の注意点》

(1) 償還差益（基通6－3－1(8)）

　　割引債の償還差益は、利子を対価とする金銭の貸付けに該当し、非課税取引となる。

(2) 収益分配金（基通6－3－1(5)）

　　投資信託の収益分配金は、利子を対価とする金銭の貸付けに該当し、非課税取引となる。

(3) 社宅の貸付け（別表第二・十三）

　　住宅の貸付けに該当し、非課税取引となる。なお、損益計算書のみで付記事項にない項目の拾いもれに注意すること。

(4) 上場株式の売却（令48）

　　振替機関の所在地が国内であるため、国内取引となる。また、株式の譲渡は、有価証券の譲渡に該当し、非課税取引となる。なお、課税売上割合の計算において、株式・公社債等は譲渡対価の5％相当額を非課税売上高に含める点に注意すること。

(5) 社宅として使用していた土地付建物の売却（土地分）

　　国内における土地の譲渡は、非課税取引である。対価の額については、上記1(3)参照。

3　課税仕入れ等の区分

(1) 課税資産の譲渡等にのみ要するもの

　① 広告宣伝費

　　イ　図書カードの購入費用（別表第二・四）

　　　物品切手等に該当するため、非課税仕入れとなる。

ロ　上記、図書カードの購入費用以外が課税仕入れとなり、新商品の売上げに係るものであることから「課税資産の譲渡等にのみ要するもの」に区分される。

(2) 課税資産の譲渡等とその他の資産の譲渡等に共通して要するもの

　① 派遣料（基通5－5－11）

　　労働者の派遣に伴い派遣会社に支払った派遣料は、資産の譲渡等の対価に該当し、課税仕入れとなる。

　② 福利厚生費

　　イ　違約金（基通5－5－2）

　　　予約変更に伴う解約損害金等は、逸失利益等に対する損害賠償金であり資産の譲渡等の対価に該当しないため、課税仕入れとならない。

　　ロ　健康診断料

　　　社会保険医療等以外の自由診療は課税取引に該当するため、健康診断料は課税仕入れとなる。

　③ 接待交際費

　　イ　商品券の購入費用（別表第二・四）

　　　物品切手等に該当するため、非課税仕入れとなる。

　　ロ　ゴルフ場利用税（基通10－1－11）

　　　ゴルフ場利用税、軽油引取税及び入湯税は、課税仕入れとならない。

　④ 旅費交通費

　　海外出張のために支給する旅費、宿泊費及び日当等は、課税仕入れとならない。

4　売上げに係る対価の返還等に係る消費税額

　売上げが発生した時に課税されていたもののみ税額控除があるのであるから、輸出免税売上げについてこの規定の適用はない。なお、課税売上割合の計算では含めていく点に注意すること。

5　貸倒れに係る消費税額

　売上げが発生した時に課税されていたもののみ税額控除があるのであるから、貸付金の貸倒れについてこの規定の適用はない。

6　計算方法

　問題文の前提により、売上税額及び売上返還等は割戻し計算により、仕入税額及び仕入返還等は、積上げ計算により計算することとなる。

※ □で囲まれた数字は配点を示す。

Ⅰ 基準期間における課税売上高

計 算 過 程	(単位：円)

(1) $(443,133,200-240,728,000-8,178,000)\times\dfrac{100}{110}+8,178,000=184,748,181$

(2) $669,600\times\dfrac{100}{110}=608,727$

(3) $(1)-(2)=184,139,454$ 　　　金額 ③ 184,139,454円

Ⅱ 課税標準額に対する消費税額の計算等

【課税標準額】

計 算 過 程	(単位：円)

　　　　　　　　　　　※1　　　　　　　　　　　　　　　　　※2
$393,220,000-\underline{800,000+2,000,000}③+8,658,000+\underline{399,000}③+\underline{294,000}③=403,771,000$

$403,771,000\times\dfrac{100}{110}=367,064,545 \to 367,064,000$（千円未満切捨）

※1　$2,000,000\times50\%=1,000,000>800,000$

　　　　　　　　　　$890,600>800,000$　　　　金額　367,064,000円

※2　$588,000\times50\%=294,000>263,000$

【課税標準額に対する消費税額】

計 算 過 程	(単位：円)	金額
$367,064,000\times7.8\%=28,630,992$		28,630,992円

Ⅲ 仕入れに係る消費税額の計算等

【課税売上割合】

計 算 過 程	(単位：円)

(1) 課 税

① $367,064,545+152,172,000+\underline{1,832,000}③=521,068,545$

② $(12,574,800+402,000)\times\dfrac{100}{110}=11,797,090$

③ $①-②=509,271,455>500,000,000$　　∴　按分必要

(2) 非課税

$1,216,000+(25,982,000-8,658,000)+80,000,000+51,440,000\times5\%=\underline{101,112,000}③$

(3) $\dfrac{(1)+\underline{794,000}③}{(1)+(2)}=\dfrac{510,065,455}{610,383,455}=0.8356\cdots<95\%$　　割合　$\dfrac{510,065,455円}{610,383,455円}$

【控除対象仕入税額】

計　　算　　過　　程	（単位：円）

(1) 課税仕入れ等の区分

① 課税資産の譲渡等にのみ要するもの

イ　課税仕入れ

(189,442,700−19,321,300)＋1,876,000＋2,970,000＋4,458,000＋680,000

＋61,143,600＋(1,494,000＋<u>1,620,000</u>③)＋2,622,000＋1,490,000＝248,475,000

$248,475,000 \times \dfrac{7.8}{110} = 17,619,136$

ロ　課税貨物

1,100,000＋270,000＝<u>1,370,000</u>③

ハ　仕入返還等

$1,376,290 \times \dfrac{7.8}{110} = \underline{97,591}$③

② その他の資産の譲渡等にのみ要するもの

$\underline{680,400}③ \times \dfrac{7.8}{110} = 48,246$

③ 共通して要するもの

イ　7.8％

5,766,000＋(637,000＋246,000)＋(954,000−734,000)＋(1,510,000＋18,000)

＋<u>4,498,000</u>③＋10,680,000＝23,575,000

$23,575,000 \times \dfrac{7.8}{110} = 1,671,681$

ロ　6.24％

$296,000 \times \dfrac{6.24}{108} = 17,102$

ハ　イ＋ロ＝1,688,783

④ 合　計

イ　課税仕入れ

㋑　7.8％

248,475,000＋680,400＋23,575,000＝272,730,400

$272,730,400 \times \dfrac{7.8}{110} = 19,339,064$

㋺　6.24％

17,102

㋩　㋑＋㋺＝19,356,166

ロ　課税貨物

1,370,000

ハ　仕入返還等

97,591

【控除対象仕入税額】（続き）

計　算　過　程	（単位：円）
(2)　個別対応方式 　　$17,619,136＋1,370,000－97,591＋1,688,783×\dfrac{510,065,455}{610,383,455}＝20,302,772$ (3)　一括比例配分方式 　　$(19,356,166＋1,370,000)×\dfrac{510,065,455}{610,383,455}－97,591×\dfrac{510,065,455}{610,383,455}＝17,238,219$ (4)　判　定 　　　$(2)＞(3)$　　∴　20,302,772	
〔調整対象固定資産に係る控除税額の調整の計算〕 (1)　調整対象固定資産の判定 　　$1,200,000×\dfrac{100}{110}＝\underline{1,090,909}≧1,000,000$　　∴　該当する ③ (2)　調整税額 　　$1,200,000×\dfrac{7.8}{110}＝85,090$ 　　$85,090×\dfrac{1}{3}＝\underline{28,363}$ ③ 　　※　令和4年6月1日〜令和7年4月1日　　∴　2年超3年以内の転用	

〔控除対象仕入税額の計算〕 $20,302,772＋28,363＝20,331,135$	金額	20,331,135円

【売上げに係る対価の返還等に係る消費税額】

計　算　過　程　（単位：円）	金額		
$12,574,800＋402,000＝12,976,800$ $12,976,800×\dfrac{7.8}{110}＝920,173$		③	920,173円

【貸倒れに係る消費税額】

計　算　過　程　（単位：円）	金額		
課税資産の譲渡等に係る債権の貸倒れではないので適用なし		③	0円

Ⅳ　差引税額の計算

計　算　過　程　（単位：円）	金額
$28,630,992－(20,331,135＋920,173)$ 　$＝7,379,684　→　7,379,600$（百円未満切捨）	7,379,600円

V 納付税額の計算

計　算　過　程　　（単位：円）	金額	
7,379,600−1,780,000＝5,599,600	②	5,599,600円

【配　点】　③×16カ所　②×1カ所　　合計50点

解答への道

1 **課税標準額**

(1) 低額譲渡（法28①、基通10-1-2）

自社の役員に対し資産を著しく低い価額により譲渡（低額譲渡）した場合には、時価が対価の額となる。

	判　　定	判定結果
棚卸資産以外の資産	時価×50% ＞ 譲渡金額	低額譲渡に該当
	時価×50% ≦ 譲渡金額	低額譲渡に該当しない
棚卸資産	仕入価額（※）又は時価×50% ＞ 譲渡金額	低額譲渡に該当
	仕入価額（※）及び時価×50% ≦ 譲渡金額	低額譲渡に該当しない

※　製品の場合には、**製造原価のうち課税仕入れからなる金額**

(2) 損害賠償金（基通5-2-5）

課税の対象とならないもの（＝不課税取引）	心身又は資産につき加えられた損害の発生に伴い受け取る損害賠償金
対価性のあるもの	①　損害を受けた棚卸資産等が加害者に引き渡される場合でその棚卸資産等がそのまま又は軽微な修理を加えることにより使用できるときにその加害者から収受する損害賠償金 ②　無体財産権の侵害を受けたことにより収受する損害賠償金 ③　不動産等の明渡し遅滞により収受する損害賠償金

(3) みなし譲渡（法4⑤、法28③、基通10-1-18）

法人が資産をその役員に贈与した行為は、事業として対価を得て行われた資産の譲渡とみなす。

> みなし譲渡の場合の売上計上金額
>
> ①　棚卸資産以外の資産の場合 … 時　価
>
> ②　棚卸資産の場合　　通常の販売価額×50%
>
> 　　　　　　　　　　　仕入価額（※）　　　　　　　　｝いずれか大きい方
>
> 　　※　製品の場合には、**製造原価のうち課税仕入れからなる金額**

2 **課税売上割合**

(1) 課税売上高

権利使用料収入（法7①、令17②六）

非居住者に対する無形固定資産の貸付けは、輸出取引等に該当する。

(2) 非課税資産の輸出（法31①、令17③）

非居住者から受け取る貸付金利息は、非課税資産の輸出に該当する。非課税資産の輸出は課

税資産の譲渡等に係る輸出取引等に該当するものとみなして、仕入れに係る消費税額の控除の規定を適用する。したがって、課税売上割合の計算上、課税資産の譲渡等の対価の額の合計額（分子）に加算することとなる。

3　控除対象仕入税額

(1)　課税資産の譲渡等にのみ要するもの

①　課税仕入れ

イ　課税資産の譲渡等にのみ要するものの意義（基通11-2-10）

製品売上げがすべて課税資産の譲渡等に該当することから製造原価報告書に係る課税仕入れについては、すべて課税資産の譲渡等にのみ要するものとなる。

ロ　人材派遣料（基通5-5-11）

労働者派遣に係る派遣料は資産の譲渡等の対価に該当する。したがって、人材派遣会社に支払った派遣料は課税仕入れに該当する。

ハ　外国法人B社に支払った商標権使用料（令6①五）

商標権の貸付け（借受け）についての国内取引の判定は「登録機関の所在地」により行う。したがって、当該商標権の貸付け（借受け）は国外取引となり、課税仕入れに該当しない。

ニ　輸出した製品に係る甲社の倉庫から国内の指定保税地域までの運賃

甲社の倉庫から国内の指定保税地域までの運送は、保税地域内で行われたものでないため、輸出取引等に該当しない。

②　課税貨物

保税地域からの引取りに係る課税貨物については「引き取った日の属する課税期間（特例申告の場合には特例申告書を提出した日の属する課税期間）」において仕入税額控除の計算に含める（法30①）。

したがって、納期限の延長を受けて未納となっている分についても、当課税期間に引き取っていることから、当課税期間の仕入税額控除の計算に含める。

③　仕入返還等（基通12-1-2）

事業者が販売促進の目的で金銭により支払いを受ける販売奨励金等は、仕入れに係る対価の返還等に該当する。

(2)　課税資産の譲渡等とその他の資産の譲渡等に共通して要するもの

①　住宅手当

通勤手当は課税仕入れに該当するが、それ以外の手当は給与と同質のものとして考えることから、課税仕入れに該当しない。

②　社内常備薬の購入費用（基通6-6-2）

社会保険診療以外の（＝処方箋がない）医薬品の販売（購入）は、非課税取引ではないため、課税仕入れに該当する。

③　海外出張に係る旅費及び日当

海外出張のために支給する旅費、宿泊費及び日当等は、課税仕入れに該当しない。

④　取引先に対する贈答品代（飲食料品）

軽減税率の対象品目は、飲食料品と一定の新聞で定期購読契約に基づくものである。

軽減税率の対象となる取引がある場合には、適用税率の異なるごとに控除対象仕入税額の計算をする。

⑤　本社事務所賃借料（基通6-1-5(注)2）

建物の貸付けに伴って土地を使用させた場合において、建物の貸付けに係る対価と土地の貸付けに係る対価とに区分しているときであっても、その対価の額の合計額が当該建物の貸付けに係る対価の額となる。

したがって、賃借料全額が建物の借受けの対価として課税仕入れに該当する。

4　調整対象固定資産の転用《転用の要件》

(1)　課税事業者が調整対象固定資産の課税仕入れ等を行っていること

(2)　仕入れ等の課税期間において個別対応方式により課税資産の譲渡等にのみ要するもの（又はその他の資産の譲渡等に要するもの）として税額控除を行っていること

　　　　　　　　　　　　　　　　　　　　　　　　　　仕入時の要件

(3)　課税事業者が仕入れ等の日から3年以内にその他の資産の譲渡等に係る業務の用（又は課税資産の譲渡等に係る業務の用）に転用していること

　　　　　　　　　　　　　　　　　　　　　　　　　　当期の要件

※　□で囲まれた数字は配点を示す。

Ⅰ　課税標準額に対する消費税額の計算等

【課税標準額】

計　算　過　程	（単位：円）
(1) 7.8%	
$171,484,000+\underline{925,000}\boxed{2}+\overset{※1}{\underline{63,000}\boxed{2}}+\overset{※2}{107,000}+7,000,000=179,579,000$	
$179,579,000\times\dfrac{100}{110}=163,253,636\ \rightarrow\ 163,253,000$（千円未満切捨）	
※1　役員A　$63,000\times50\%=31,500\ >\ 20,000$	
※2　役員B　$214,000\times50\%=107,000\ \leqq\ 107,000$　　∴　低額譲渡に該当しない	
(2) 6.24%	
$257,228,000\times\dfrac{100}{108}=238,174,074\ \rightarrow\ 238,174,000$（千円未満切捨）	
(3)　(1)＋(2)＝401,427,000	

金額	$\boxed{2}$　401,427,000円

【課税標準額に対する消費税額】

計　算　過　程　　　（単位：円）	金額
(1) $163,253,000\times7.8\%=12,733,734$	
(2) $238,174,000\times6.24\%=\underline{14,862,057}\boxed{2}$	27,595,791円
(3) (1)＋(2)＝27,595,791	

Ⅱ　仕入れに係る消費税額の計算等

【課税売上割合】

計　算　過　程	（単位：円）
(1) 課　税	
①　$163,253,636+238,174,074+28,510,000+\underline{850,000}\boxed{2}=430,787,710$	
②　566,000	
③　①－②＝430,221,710　$\leqq$　500,000,000	
(2) 非課税	
$76,000+13,000+123,000\underline{-90,000}\boxed{2}+33,000,000+12,500,000\times5\%=33,747,000$	
(3) $\dfrac{(1)}{(1)+(2)}=\dfrac{430,221,710}{\underline{463,968,710}}\boxed{2}=0.9272\cdots\ <\ 95\%$　　∴　按分必要	

割合	$\dfrac{430,221,710円}{463,968,710円}$

【控除対象仕入税額】

計　　算　　過　　程	（単位：円）

(1) 課税仕入れ等の区分

① 課税資産の譲渡等にのみ要するもの

イ　課税仕入れ

(イ) 7.8%

$88,354,000 + (4,854,000 - 709,000) + 2,713,000 + \underline{2,260,000}\boxed{2} + 26,871,000$

$+ \underline{50,000,000}\boxed{2} = 174,343,000$

$174,343,000 \times \dfrac{7.8}{110} = 12,362,503$

(ロ) 6.24%

$122,012,000 \times \dfrac{6.24}{108} = \underline{7,049,582}\boxed{2}$

(ハ) (イ) + (ロ) = 19,412,085

ロ　課税貨物

$321,500 + 3,093,100 = \underline{3,414,600}\boxed{2}$

② その他の資産の譲渡等にのみ要するもの

$\underline{21,000}\boxed{2} \times \dfrac{7.8}{110} = 1,489$

③ 共通して要するもの

イ　7.8%

$1,808,000 + 1,110,000 + \underline{445,000}\boxed{2} + 2,558,000 + \underline{503,000}\boxed{2} + 1,668,000 + (1,242,000$

$- 74,000) + 2,253,000 + 110,000 + (1,039,000 - 10,000) + \underline{230,000}\boxed{2} + 1,035,000$

$+ 10,440,000 + \underline{626,000}\boxed{2} + 956,500 + 399,000 + \underline{2,500,000}\boxed{2}$

$= 28,838,500$

$28,838,500 \times \dfrac{7.8}{110} = 2,044,911$

ロ　6.24%

$96,500 \times \dfrac{6.24}{108} = \underline{5,575}\boxed{2}$

ハ　イ + ロ = 2,050,486

④ 合　計

イ　課税仕入れ

(イ) 7.8%

$174,343,000 + 21,000 + 28,838,500 = 203,202,500$

$203,202,500 \times \dfrac{7.8}{110} = 14,408,904$

(ロ) 6.24%

$122,012,000 + 96,500 = 122,108,500$

$122,108,500 \times \dfrac{6.24}{108} = 7,055,157$

(ハ) (イ) + (ロ) = 21,464,061

ロ　課税貨物　　3,414,600

問題 **4**

解答

【控除対象仕入税額】（続き）

計　算　過　程　　　　　　　　　　　　　　（単位：円）

(2) 個別対応方式

$(19,412,085＋3,414,600)＋2,050,486×\dfrac{430,221,710}{463,968,710}＝24,728,027$

(3) 一括比例配分方式

$(21,464,061＋3,414,600)×\dfrac{430,221,710}{463,968,710}＝23,069,098$

(4) 判　定

$24,728,027　＞　23,069,098$　　∴　$24,728,027$

〔調整対象固定資産に係る控除税額の調整の計算〕

(1) 調整対象固定資産の判定

① ゴルフ場利用株式

$12,550,000×\dfrac{100}{110}＝\underline{11,409,090}\boxed{2}≧1,000,000$　　∴　該当する

② 倉　庫

$20,056,000×\dfrac{100}{110}＝18,232,727　≧1,000,000$　　∴　該当する

(2) 著しい変動

① 仕入れ時の課税売上割合

イ　課　税

(イ) $147,853,000－59,005,000＝88,848,000$

(ロ) $2,342,600$

(ハ) $(イ)－(ロ)＝86,505,400　≦500,000,000$

ロ　非課税

$59,005,000$

ハ　$\dfrac{イ}{イ＋ロ}＝\dfrac{86,505,400}{\underline{145,510,400}}\boxed{2}＝0.5944\cdots　＜95\%$　　∴　個別対応方式

② 通算課税売上割合

イ　課　税

$86,505,400＋※278,942,000＋430,221,710＝795,669,110$

　※(イ) $280,596,000－933,000＝279,663,000$

　　(ロ) $721,000$

　　(ハ) $(イ)－(ロ)＝278,942,000$

ロ　非課税

$59,005,000＋933,000＋33,747,000＝93,685,000$

ハ　$\dfrac{イ}{イ＋ロ}＝\dfrac{795,669,110}{889,354,110}＝0.8946\cdots$

③ 判　定（計算パターン$\boxed{2}$）

イ　変動差

②－①$＝0.3001\cdots　≧5\%$

ロ　変動率

$\dfrac{イ}{①}＝0.5049\cdots　≧50\%$　　∴　著しい変動（増加）に該当する

【控除対象仕入税額】（続き）

計　算　過　程 （単位：円）
④　調整税額
イ　調整対象基準税額
$12,550,000 \times \dfrac{7.8}{110} = 889,909$
ロ　仕入れ時の控除税額
$889,909 \times \dfrac{86,505,400}{145,510,400} = 529,047$
ハ　通算課税売上割合による控除税額
$889,909 \times \dfrac{795,669,110}{889,354,110} = 796,165$
ニ　調整税額
ハ－ロ＝267,118 [2]
※　倉庫については、当期が第3年度の課税期間に該当しないため調整なし

〔控除対象仕入税額の計算〕 24,728,027＋267,118＝24,995,145	金額	24,995,145円

（問題4　解答）

【売上げに係る対価の返還等に係る消費税額】

計　算　過　程 （単位：円）	金額		
輸出免税売上に係る値引であるため税額控除なし		[2]	0円

【貸倒れに係る消費税額】

計　算　過　程 （単位：円）	金額		
$700,000 \times \dfrac{6.24}{108} = 40,444$		[2]	40,444円

Ⅲ　差引税額の計算

計　算　過　程 （単位：円）	金額
27,595,791－(24,995,145＋40,444) ＝2,560,202 → 2,560,200（百円未満切捨）	2,560,200円

Ⅳ　納付税額の計算

計　算　過　程 （単位：円）	金額		
2,560,200－822,000＝1,738,200		[2]	1,738,200円

【配　点】　[2]×25カ所　　合計50点

1 課税標準額

(1) バーゲンセールによる値引き販売

消費税の課税標準は、「課税資産の譲渡等の対価の額」である。

「対価の額」とは、取引をした際に対価として収受した金額であるため、販売時における値引きは、その販売時における販売価額の修正であり、当該取引の場合には15,500,000円が「対価の額」となる。

この場合、値引きをした金額について売上げに係る対価の返還等の処理はない。

(2) 低額譲渡 (法28①、基通10−1−2)

低額譲渡の判定は、下記のように行う。なお、低額譲渡に該当した場合は、課税標準額として計上すべき金額はその資産の譲渡時の価額 (時価) となる。みなし譲渡の場合と区分すること。

	判 定	判 定 結 果
棚卸資産以外の資産	時価×50% ＞ 譲渡金額	低額譲渡に該当する
	時価×50% ≦ 譲渡金額	低額譲渡に該当しない
棚 卸 資 産	仕入価額(※)又は時価×50% ＞ 譲渡金額	低額譲渡に該当する
	仕入価額(※)及び時価×50% ≦ 譲渡金額	低額譲渡に該当しない

※ 製品の場合には、製造原価のうち課税仕入れからなる金額

2 課税売上割合

(1) 課税売上高 (保税地域における輸入許可後の貨物に係る倉庫の保管料 (令17②四))

外国貨物及び指定保税地域等における内国貨物に係る保管料等 (役務の提供) は「輸出取引等の範囲」に該当するため輸出免税の規定が適用される。

(2) 非課税売上高 (国債の償還差損 (令48⑥))

償還差益は非課税売上高に加算するが、償還差損の場合には非課税売上高から減算する。

3 課税仕入れ等の区分

(1) 課税資産の譲渡等にのみ要するもの

① 課税仕入れ

イ 商品販売店舗 (基通11−3−2)

割賦購入の方法による課税資産の譲り受けが課税仕入れに該当する場合には、その課税仕入れを行った日は、その資産の引渡し等を受けた日となるのであるから、その課税仕入れについては、その資産の引渡し等を受けた日の属する課税期間において仕入れに係る消費税額の控除の規定を適用する。

したがって、当課税期間において税額控除の対象となる金額は、取得価額（50,000,000円）であることに注意すること。

② 課税貨物

イ 特例申告（法30①）

特例申告により保税地域から引き取った課税貨物に係る消費税額の仕入税額控除の時期は「特例申告書を提出した日の属する課税期間」である。したがって、令和8年2月に引き取った課税貨物については、問題文より、令和8年3月末日に特例申告書を提出しているため当期に税額控除を行うが、令和8年3月に引き取った課税貨物については、令和8年4月末日に特例申告書を提出しているため、翌期に税額控除を行うこととなる。また、令和7年3月に引き取った課税貨物については、令和7年4月末日に特例申告書を提出しているため、当期に税額控除を行うこととなる。

(2) 課税資産の譲渡等とその他の資産の譲渡等に共通して要するもの

① 建設仮勘定（基通11－3－6）

事業者が、建設工事等に係る目的物の完成前に行ったその建設工事等のための課税仕入れ等の金額について建設仮勘定として経理した場合においても、その課税仕入れ等については、原則として、その課税仕入れ等をした日の属する課税期間において仕入れに係る消費税額の控除の規定が適用される。

なお、その建設仮勘定として経理した課税仕入れ等につき、その目的物の完成した日の属する課税期間においてまとめて課税仕入れ等とすることも認められる。

原　則	引渡しを受けた日の属する課税期間で税額控除
例　外	部分引渡しを受ける場合において、建設仮勘定として経理したときは、完成引渡しを受けた日の属する課税期間においてまとめて税額控除することができる。

したがって、設計事務所に支払った設計料は当期の課税仕入れとして取り扱う。

4　調整対象固定資産の仕入れに係る消費税額の調整

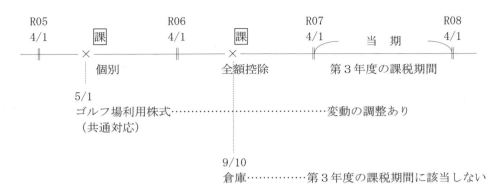

＜変動の要件＞

① 課税事業者が調整対象固定資産（税抜き100万円以上）の課税仕入れ等を行っていること

② 仕入れ等の課税期間において比例配分法により税額控除を行っていること（課税仕入れ等の税額が全額控除された場合を含む）

仕入時の要件

③ 第３年度の課税期間※（当期）の末日において保有していること

④ 課税売上割合が著しく変動（変動差≧５％かつ変動率≧50％）していること

当期の要件

※　仕入れ等の課税期間の開始の日から３年を経過する日の属する課税期間

　課税売上割合の計算においては、なお書きの「金額は税抜金額」を読み飛ばさないように注意する。ゴルフ場利用株式については上記の要件を満たすため、著しい変動の調整を行うこととなる。また、倉庫については「当課税期間が第３年度の課税期間（仕入れ等の課税期間の開始の日から３年を経過する日の属する課税期間）に該当しない」ため調整不要となる。

5　貸倒れに係る消費税額
　販売食品に係る売掛金が貸倒れているので、軽減税率を適用する。

解 答

※ □で囲まれた数字は配点を示す。

Ⅰ 基準期間における課税売上高

計　算　過　程	（単位：円）

(1) $(186,994,000-946,000-13,442,000) \times \dfrac{100}{110} + 13,442,000 = 170,356,545$

(2) $(3,821,220-1,254,000) \times \dfrac{100}{110} + 1,254,000 = 3,587,836$

(3) $(1)-(2)=166,768,709$

　　　$166,768,709 \times \dfrac{12}{9} = 222,358,278$

金額	② 222,358,278円

Ⅱ 課税標準額に対する消費税額等の計算

【課税標準額】

計　算　過　程	（単位：円）

$(329,256,100-40,262,000\overset{※2}{-180,000}+319,000②)+2,326,000+\underline{850,000}②+(955,000$
$-168,000-327,000)②+2,000,000②+\underline{1,785,000}②=296,554,100$

$296,554,100 \times \dfrac{100}{110} = 269,594,636 \rightarrow 269,594,000$ （千円未満切捨）

※1　役員A
　　　$200,000 \geqq 319,000 \times 50\% = 159,500$
　　　$200,000 \geqq 189,500$　　∴　低額譲渡に該当しない

※2　役員B
　　　$180,000 < 189,500$

金額	269,594,000円

【課税標準額に対する消費税額】

計　算　過　程　　　（単位：円）	金額
$269,594,000 \times 7.8\% = 21,028,332$	21,028,332円

Ⅲ　仕入れに係る消費税額の計算等

【課税売上割合】

計　　算　　過　　程	（単位：円）

(1)　課　税

① 　269,594,636＋40,262,000＋<u>900,000</u>②＝310,756,636

② 　$4,899,900 \times \dfrac{100}{110} = 4,454,454$

③ 　①－②＝306,302,182≦500,000,000

(2)　非課税

<u>(84,685＋15,315)</u>②＋180,000＋569,200＋<u>80,000</u>②＋3,700,000×5％＋30,000,000

＝31,114,200

(3)　$\dfrac{(1) + \underline{180,000}②}{(1) + (2)} = \dfrac{306,482,182}{337,416,382} = 0.9083 \cdots \;<\; 95\%$　　∴　按分必要

割合	②	$\dfrac{306,482,182円}{337,416,382円}$

【控除対象仕入税額】

計　　算　　過　　程	（単位：円）

(1)　課税仕入れ等の区分

① 　課税資産の譲渡等にのみ要するもの

　イ　課税仕入れ

　　(イ)　7.8％

　　　　9,996,200＋3,960,000＋4,017,200＋1,224,500＋193,000＋<u>552,000</u>②

　　　　＋<u>3,472,000</u>②＋46,813,200＋(4,345,000－830,000)＋(878,500－106,800)

　　　　＋1,313,250＋1,525,000＋2,470,000＋1,725,000＋670,000＋1,081,500

　　　　＋<u>10,500,000</u>＋(14,875,600－3,599,000－2,530,000)②＋468,000＝103,014,150

　　　　$103,014,150 \times \dfrac{7.8}{110} = 7,304,639$

　　(ロ)　6.24％

　　　　$106,800 \times \dfrac{6.24}{108} = 6,170$

　　(ハ)　(イ)＋(ロ)＝7,310,809

　ロ　80％控除対象

　　　$830,000 \times \dfrac{7.8}{110} \times 80\% = \underline{47,083}②$

　ハ　課税貨物

　　　<u>1,450,400</u>②

　ニ　仕入返還等

　　　$1,462,800 \times \dfrac{7.8}{110} = \underline{103,725}②$

－104－

【控除対象仕入税額】（続き）

<table>
<tr><th colspan="2">計　算　過　程</th><th>（単位：円）</th></tr>
</table>

② その他の資産の譲渡等にのみ要するもの

$\quad$ 15,000＋657,900＝<u>672,900</u>**2**

$\quad$ $672,900 \times \dfrac{7.8}{110} = 47,714$

③ 共通して要するもの

$\quad$ イ　7.8%

$\qquad$ （1,866,900＋6,300＋1,100,350）＋893,700＋1,237,500＋107,800＋343,500

$\qquad$ ＋8,614,500＋（2,475,000－297,000）＋3,337,500＋（950,000－230,000－102,000）

$\qquad$ ＋962,500＋<u>171,100</u>**2**＋1,518,000＋781,000＋<u>1,287,500</u>**2**＝25,024,150

$\qquad$ $25,024,150 \times \dfrac{7.8}{110} = 1,774,439$

$\quad$ ロ　6.24%

$\qquad$ 234,700＋102,000＝336,700

$\qquad$ $336,700 \times \dfrac{6.24}{108} = \underline{19,453}$**2**

$\quad$ ハ　イ＋ロ＝1,793,892

④ 合　計

$\quad$ イ　課税仕入れ

$\quad$ （イ）7.8%

$\qquad$ 103,014,150＋672,900＋25,024,150＝128,711,200

$\qquad$ $128,711,200 \times \dfrac{7.8}{110} = 9,126,794$

$\quad$ （ロ）6.24%

$\qquad$ 106,800＋336,700＝443,500

$\qquad$ $443,500 \times \dfrac{6.24}{108} = 25,624$

$\quad$ （ハ）（イ）＋（ロ）＝9,152,418

$\quad$ ロ　80%控除対象　　47,083

$\quad$ ハ　課税貨物　　1,450,400

$\quad$ ニ　仕入返還等　　103,725

(2) 個別対応方式

$\quad$ $(7,310,809＋47,083＋1,450,400－103,725)＋1,793,892 \times \dfrac{306,482,182}{337,416,382} = 10,333,995$

(3) 一括比例配分方式（計算パターン**2**）

$\quad$ $(9,152,418＋47,083＋1,450,400) \times \dfrac{306,482,182}{337,416,382} － 103,725 \times \dfrac{306,482,182}{337,416,382} = 9,579,307$

(4) 判　定

$\quad$ (2)＞(3)　　∴　10,333,995

<table>
<tr><td>金額</td><td>10,333,995円</td></tr>
</table>

問題 **5** 解答

【売上げの返還等対価に係る消費税額】

計　算　過　程　　（単位：円）	金額	
$4,899,900 \times \dfrac{7.8}{110} = 347,447$	②	347,447円

【貸倒れに係る消費税額】

計　算　過　程　　（単位：円）	金額	
$5,200,000 \times \dfrac{7.8}{110} = 368,727$	②	368,727円

Ⅳ　差引税額の計算

計　算　過　程　　（単位：円）	金額
$21,028,332 - (10,333,995 + 347,447 + 368,727)$ $= 9,978,163 \rightarrow 9,978,100$（百円未満切捨）	9,978,100円

Ⅴ　納付税額の計算

計　算　過　程　　（単位：円）	金額	
$9,978,100 - 4,896,000 = 5,082,100$	②	5,082,100円

【配　点】　②×25カ所　　合計50点

1 基準期間における課税売上高

前々事業年度（第31期・令和5年7月1日から令和6年3月31日まで）が1年未満であるため、当事業年度開始の日の2年前の日の前日から1年を経過する日までの間に開始した各事業年度を合わせた期間が基準期間となる。

∴ 第31期・令和5年7月1日から令和6年3月31日まで（9ヶ月）

なお、基準期間が1年でない法人については、売上高を1年換算した金額が基準期間における課税売上高となる。

2 課税標準額

(1) 低額譲渡（法28①、基通10-1-2）

自社の役員に対し資産を著しく低い価額により譲渡（低額譲渡）した場合には、時価が対価の額となる。

	判　定	判定結果
棚卸資産以外の資産	時価×50% ＞ 譲渡金額	低額譲渡に該当
	時価×50% ≦ 譲渡金額	低額譲渡に該当しない
棚卸資産	仕入価額（※）又は時価×50% ＞ 譲渡金額	低額譲渡に該当
	仕入価額（※）及び時価×50% ≦ 譲渡金額	低額譲渡に該当しない

※ 製品の場合には、**製造原価のうち課税仕入れからなる金額**

(2) 損害賠償金（基通5-2-5）

課税の対象とならないもの（＝不課税取引）	心身又は資産につき加えられた損害の発生に伴い受け取る損害賠償金
対価性のあるもの	① 損害を受けた棚卸資産等が加害者に引き渡される場合でその棚卸資産等がそのまま又は軽微な修理を加えることにより使用できるときにその加害者から収受する損害賠償金 ② 無体財産権の侵害を受けたことにより収受する損害賠償金 ③ 不動産等の明渡し遅滞により収受する損害賠償金

本問における運送業者から受け取った損害賠償金は、対価性のあるものの①に該当する。

(3) 製品配達用トラックの買換え

本問における取引の仕訳を、旧型トラックの下取りに係る取引と、新型トラックの取得に係る取引とに分けると、次のとおりとなる。

① 旧型トラックの下取りに係る取引の仕訳（単位：円）

現　　金　　　460,000 ／ 車両運搬具　　　955,000

減価償却費　　168,000

固定資産売却損　327,000

② 新型トラックの取得に係る取引の仕訳（単位：円）

車両運搬具　　3,472,000 ／ 現　　金　　　3,472,000

上記①より、旧型トラックの下取り金額として、課税標準に計上すべき金額は460,000円となる。

(4) 代物弁済（令45②一）

代物弁済による資産の譲渡があった場合には、その代物弁済により消滅する債務の額（譲渡される資産の時価が債務の額を超える額に相当する金額につき支払を受ける場合は、その金額を加算した金額）に相当する金額がその対価の額となる。

(5) みなし譲渡（法28③二）

法人が資産をその社の役員に対して贈与した場合には、みなし譲渡に該当する。

また、棚卸資産以外の資産に係るみなし譲渡については、時価が対価の額となる。

区　　　分	判　　　定	棚 卸 資 産 以 外	棚　卸　資　産
低 額 譲 渡	該 当 す る	時　　　価	
	該 当 し な い	受 領 し た 金 額	
み な し 譲 渡	該 当 す る	時　　　価	時価×50%〕大 仕入価額※

※　製品の場合には、製造原価のうち課税仕入れからなる金額

3　課税売上割合

(1) 免税売上高

指定保税地域内での内国貨物の保管（令17②四）

指定保税地域等において行われる内国貨物に係る役務の提供は、輸出取引等に該当する。

(2) 非課税売上高

① 源泉所得税等（基通10-1-13）

源泉徴収前の金額によって消費税の課税関係を判定する。

② 収益分配金（基通6-3-1）

公社債投資信託の収益分配金は、非課税取引に該当する。

(3) 非課税資産の輸出売上高 ≪外国債の利子≫

外国債の利子は、非課税資産の輸出に該当するため、課税売上割合の計算上、課税資産の譲渡等の対価の額の合計額（分子）に含める。

4 控除対象仕入税額

(1) 課税資産の譲渡等にのみ要するもの

① 指定保税地域内における倉庫の賃貸借

　　保税地域内における資産の賃貸借の免税取引は、「貨物」に限られる。

　　保税地域内において倉庫を賃貸借したとしても免税取引には該当せず、7.8％課税取引として取扱うこととなる。したがって、甲社においては、課税仕入れに該当し、製品の輸出に係るものであるため、課税資産の譲渡等にのみ要するものに該当することとなる。

② 製品製造原価（基通11-2-10）

　　「課税資産の譲渡等にのみ要するもの」とは、課税資産の譲渡等を行うためにのみ必要な課税仕入れ等をいい、課税資産の製造用にのみ消費又は使用される原材料、容器、包紙、機械及び装置、工具、器具、備品等の課税仕入れ等が該当する。

　　よって、課税製品の製造に要した金額である製造原価報告書の記載金額のうち、課税仕入れに該当する金額は、課税資産の譲渡等にのみ要するものに該当することとなる。

③ 課税仕入れの相手方の範囲（基通11-1-3）

　　課税仕入れの相手方には、課税事業者、免税事業者の他、消費者も含まれる。

　　よって、本問における免税事業者に対して支払った外注費は、課税仕入れに該当する。

　　なお、一定期間は、適格請求書発行事業者以外からの課税仕入れは、仕入税額相当額の一定割合（※）を仕入税額とみなして控除できる経過措置が設けられている。

※ 仕入税額について「割戻し計算」を適用している場合（30年令附則22①二、23①二）

　　課税期間中に行った本経過措置の適用を受ける課税仕入れに係る支払対価の額の合計金額に110分の7.8（軽減対象課税資産の譲渡等に係るものである場合には108分の6.24）を乗じて算出した金額に100分の80（注）を乗じて算出する。

《計算方法》（標準税率適用時の場合）

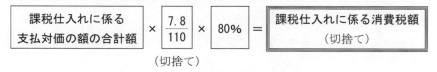

（切捨て）

（注）令和5年10月1日から令和8年9月30日までの期間は、80％

④ 特許権使用料（令6①五）

　　特許権の貸付けについては、特許権の登録している機関の所在地により、国内取引の判定を行う。

　　本問では、国外において登録されている特許権に係る取引は国外取引、国内と国外に登録されている特許権に係る取引は貸付けを行う者の住所地が国内であるため国内取引となる。

(2) 課税資産の譲渡等とその他の資産の譲渡等に共通して要するもの

① 現物給付する資産の取得（基通11-2-1）

事業者が使用人等に金銭以外の資産を給付する場合のその資産の取得が課税仕入れに該当するかどうかは、その給付が給与として所得税の課税の対象とされるかどうかにかかわらず、事業としての資産の譲受けかどうかで判定する。

よって、福利厚生費のうち現物支給の夜食代は課税仕入れに該当する。

② 旅行をキャンセルしたことに伴う違約金及び取消手数料（基通5-5-2）

旅行のキャンセルに伴い支払った違約金は資産の譲渡等の対価に該当しないため、不課税取引に該当する。

ただし、解約手数料、取消手数料等を対価とする役務の提供のように、資産の譲渡等に係る契約等の解約又は取消し等の請求に応じ対価を得て行われる役務の提供は、資産の譲渡等に該当する。

課税の対象とならないもの（＝不課税取引）	予約の取消し、変更等に伴うキャンセル料、解約損害金 （例） 土地売買契約の破棄に伴い収受する違約金 　　　　宿泊旅館の予約変更に伴い収受する違約金
対 価 性 の あ る も の	上記の請求等に応ずる事務手数料（解約手数料、取消手数料、払戻手数料等）

③ 出張旅費、宿泊費、日当（基通11-6-4）

使用人等が勤務する場所を離れてその職務を遂行するため旅行をし、若しくは転任に伴う転居のための旅行をした場合又は退職者等がこれらに伴う転居のための旅行をした場合に、事業者がその使用人等又はその退職者等に支給する出張旅費、宿泊費、日当等のうち、その旅行について通常必要であると認められる部分の金額は、課税仕入れに係る支払対価に該当するものとして取り扱う。

出張旅費、宿泊費日当等	課税仕入れに該当する	国内出張
	課税仕入れに該当しない	海外出張

④ 会費、組合費等（基通5-5-3（注）、11-2-4）

事業者が同業者団体、組合等に対して支払ったいわゆる通常会費は、課税仕入れには該当しない。

ただし、名目が会費等とされている場合であっても、それが実質的に出版物の購読料、映画・演劇等の入場料、職員研修の受講料又は施設の利用料等と認められるときは、その会費等は、資産の譲渡等の対価に該当する。

会費・組合費等	課税仕入れに該当する	出版物の購読料、職員研修の受講料、施設の利用料等 （明白な対価関係あり）
	課税仕入れに該当しない	通常会費、通常組合費等 （明白な対価関係なし）

⑤　金銭以外の資産の贈与（基通11-2-17）

寄附金	課税仕入れに該当する	金銭以外の資産（課税資産）によるもの
	課税仕入れに該当しない	金銭によるもの

　　本問における日本赤十字社へ贈与するためのテレビの購入は、課税仕入れに該当する。

5　貸倒れ

　　貸倒れの処理は、貸倒引当金充当前の領収することができないこととなった売掛金の額に着目することに留意すること。本問における仕訳は、以下のようになるので参考にしてほしい。

　　≪本問における仕訳≫（単位：円）

　　　貸倒引当金　　　2,600,000 ╱ 売掛金　　　　　5,200,000
　　　貸倒損失　　　　2,600,000

問題 6　　　　　　　　　　　　　　　　　　　　解　答

I　課税標準額に対する消費税額の計算等

【課税標準額】

計　算　過　程	（単位：円）

$2,249,535,860＋943,615,140＋5,964,000＋\underline{860,000}\boxed{2}＋\overset{※}{\underline{132,000}}\boxed{2}＝3,200,107,000$

$3,200,107,000×\dfrac{100}{110}＝2,909,188,181　→　2,909,188,000　（千円未満切捨）$

※　$132,000　＞　262,000×50\%＝131,000$

金額	$2,909,188,000$円

【課税標準額に対する消費税額】

計　算　過　程　　（単位：円）	金額	
$2,909,188,000×7.8\%＝226,916,664$		$226,916,664$円

II　仕入れに係る消費税額の計算等

【課税売上割合】

計　算　過　程	（単位：円）

(1)　課　税

①　$2,909,188,181＋1,870,015,560＋\underline{374,000}\boxed{2}＋\underline{840,000}\boxed{2}＋\underline{2,920,000}\boxed{2}＝4,783,337,741$

②　$58,197,500×\dfrac{100}{110}＝52,906,818$

③　①－②＝$4,730,430,923　＞　500,000,000$　　∴　按分必要

(2)　非課税

$682,000＋350,000＋2,169,000＋7,125,800＋1,068,000＋\underline{76,310,000×5\%}\boxed{2}$

$＋406,400,000＋\underline{(170,000,000－4,500,000)}\boxed{2}＝587,110,300$

(3)	$\dfrac{(1)＋\underline{350,000}\boxed{2}}{(1)＋(2)}＝\dfrac{4,730,780,923}{5,317,541,223}＝0.8896…　＜　95\%$	割合	$\dfrac{4,730,780,923円}{5,317,541,223円}$	

【控除対象仕入税額】

計　算　過　程	（単位：円）

(1)　課税仕入れ等の区分

①　課税資産の譲渡等にのみ要するもの

イ　課税仕入れ

$76,865,266＋41,817,015＋232,241＋245,272＋661,713＋\underline{104,581}\boxed{2}＋108,181$

$＋\underline{213,818}\boxed{2}＋1,832,727＋\underline{198,181}\boxed{2}＋185,498＋\underline{15,818}\boxed{2}＝122,480,311$

【控除対象仕入税額】（続き）

計　算　過　程	（単位：円）

122,480,311×78%＝95,534,642

　ロ　課税貨物

　　38,934,400

　ハ　仕入返還等

　　454,378＋161,769＝616,147

　　616,147×78%＝480,594②

　ニ　引取還付

　　1,735,000②

②　その他の資産の譲渡等にのみ要するもの

　　513,636②＋58,636②＋9,927＋894,545＝1,476,744

　　1,476,744×78%＝1,151,860

③　共通して要するもの

　イ　7.8%

　　409,090②＋683,736＋2,627②＋310,863＋107,818②＋681,090＋5,909＋119,947

　　＋56,855＋116,623＋158,181＋742,046＝3,394,785

　ロ　6.24%

　　6,315＋4,629＝10,944

　ハ　イ＋ロ＝3,405,729

　　3,405,729×78%＝2,656,468

④　合　計

　イ　課税仕入れ

　　122,480,311＋1,476,744＋3,405,729＝127,362,784

　　127,362,784×78%＝99,342,971

　ロ　課税貨物

　　38,934,400

　ハ　仕入返還等

　　480,594

　ニ　引取還付

　　1,735,000

(2)　個別対応方式

$(95,534,642＋38,934,400－480,594－1,735,000)＋2,656,468×\dfrac{4,730,780,923}{5,317,541,223}$

$＝134,616,789$

(3)　一括比例配分方式（計算パターン②）

$(99,342,971＋38,934,400)×\dfrac{4,730,780,923}{5,317,541,223}－480,594×\dfrac{4,730,780,923}{5,317,541,223}－1,735,000$

$×\dfrac{4,730,780,923}{5,317,541,223}＝121,048,137$

【控除対象仕入税額】（続き）

計　算　過　程	（単位：円）
(4) 判　定 　　　(2) ＞ (3)　　∴　　134,616,789	
〔調整対象固定資産に係る控除税額の調整の計算等〕 (1) 調整対象固定資産の判定 　　アパートX 　　$72,000,000 \times \dfrac{100}{110} = 65,454,545 \geqq 1,000,000$　　∴　該当する 　　※　土地は調整対象固定資産に該当しない。 (2) 転　用 　① 　調整対象税額（アパートX） 　　　$72,000,000 \times \dfrac{7.8}{110} = 5,105,454$ 　② 　調整税額 　　　$5,105,454 \times \dfrac{1}{3} = 1,701,818$ 　　※　令和5年9月10日～令和8年2月1日　∴　2年超3年以内の転用	

〔控除対象仕入税額の計算〕 $134,616,789 - 1,701,818$ ②$= 132,914,971$	金額	132,914,971円

【売上げに係る対価の返還等に係る消費税額】

計　算　過　程　　　（単位：円）	金額	②	4,126,731円
$58,197,500 \times \dfrac{7.8}{110} = 4,126,731$			

【貸倒れに係る消費税額】

計　算　過　程　　　（単位：円）	金額	②	158,900円
$2,240,900 \times \dfrac{7.8}{110} = 158,900$			

Ⅲ　納付税額の計算

計　算　過　程		（単位：円）
（1）　差引税額　　　　　　　　　　　　　　　　　　　　　　　　　　　　　　　　　 226,916,664−(132,914,971+4,126,731+158,900)＝89,716,062　→　89,716,000 　　　　　　　　　　　　　　　　　　　　　　　　　　　　　　　（百円未満切捨） （2）　中間納付税額 　①　　一　月 　　イ　$\dfrac{48,001,000}{12}$＝4,000,083＞4,000,000　　　∴　適用あり 　　ロ　4,000,000（百円未満切捨）×11回＝44,000,000 　②　三月、六月 　　　適用なし 　③　中間納付税額 　　　<u>44,000,000</u>2 （3）　納付税額 　　89,716,000−44,000,000＝45,716,000		
	金額	2　　45,716,000円

【配　点】　2×25カ所　　合計50点

1 課税標準額

(1) みなし譲渡（法4⑤、法28③）

法人が資産を自社の役員に対し贈与した場合におけるその贈与はみなし譲渡に該当する。

また、みなし譲渡があった場合の課税標準額に算入すべき金額は、下記のとおりである。

なお、本問と直接関係はないが、低額譲渡があった場合の課税標準額に算入すべき金額についてもあわせて確認をしてほしい。

区　　　　分	判　　　　定	棚卸資産以外	棚　卸　資　産
低　額　譲　渡	該　当　す　る	時　　　　価	時　　価
	該　当　し　な　い	受　領　し　た　金　額	
み　な　し　譲　渡	該　当　す　る	時　　　　価	時　価×50%⎫ 仕　入　価　額※⎭ 大

※　製品の場合には、製造原価のうち課税仕入れからなる金額

本問では、甲社の役員に棚卸資産（家電）を贈与しているため、仕入価額（132,000円）と通常の販売価額（262,000円）の50%相当額のうち大きい金額を使用する。

2 課税売上割合

(1) 免税売上高

① 国外で購入した貨物を国内の保税地域を経由して国外へ譲渡した場合（基通7－2－3）

国外で購入した貨物を国内の保税地域に陸揚げし、輸入手続を経ないで再び国外へ譲渡する場合は「国内において行う課税資産の譲渡等」となり、「本邦からの輸出」に該当することから、輸出免税の対象となる。

② 外国貨物の保管（令17②四）

外国貨物の荷役、運送、保管、検数、鑑定その他これらに類する役務の提供は、輸出取引等に該当する。

③ 無形固定資産等の貸付け（令6①五、17①六）

無形固定資産等の貸付けは、原則として権利を登録した機関の所在地により、国内取引の判定を行う。

本問では、商標権が日本で登録されていることから、国内取引に該当する。また、無形固定資産等の貸付けで非居住者に対して行われるものに該当するため、輸出取引等に該当する。

④ 非居住者に対する市場調査料（令17②七）

非居住者に対する市場調査は、国内で直接便益を享受するもの以外の役務提供に該当するため、輸出取引等に該当する。

（2）非課税売上高

① 非居住者に対する貸付金利息（法31①）

非居住者に対する貸付金利息は、非課税資産の輸出に該当する。

したがって、課税売上割合の計算上、課税資産の譲渡等の対価の額の合計額に含めること

となる。

② 土地の交換（令45②四）

交換の場合の売上計上金額は、交換取得資産の時価相当額が対価の額となるが、交換差金

を支払った場合には交換取得資産の時価相当額から交換差金の額を控除した金額が対価の額

となる。

3 課税仕入れ等

（1）課税資産の譲渡等にのみ要するもの

① 課税貨物に係る引取還付（法32④）

保税地域からの引取りに係る課税貨物につき返品があった場合において、他の法律（輸徴

法）の規定により消費税の還付を受けるときは、課税仕入れ等の税額から還付を受ける消費

税額を控除する。

ただし、輸入した家電について海外の仕入先から受けたリベートについては、他の法律に

よる消費税の還付はないことから、消費税の取扱いは生じない。

② 家電の展示会費用

本問における展示会は得意先を無料で招待しているが、当該展示会は、課税資産の譲渡等

（家電の販売）を促進するために行っているため、課税資産の譲渡等にのみ要するものとし

て取り扱うことになる。

③ 倉庫の賃借料

保税地域における倉庫の賃借料は、国内における建物の賃借に該当し、課税仕入れに該当

する。

④ 商標権使用料（基通5－1－11）

商標権は、権利の登録をした機関の所在地が国内かどうかにより判定する。本問において

は、国内で登録されているため国内取引に該当する。したがって、国内において非居住者（海

外の法人C社）が居住者（甲社）に対して行う無形固定資産の貸付けとして、売上げ側（C

社）は7.8％課税売上げに該当し、仕入れ側（甲社）は、課税仕入れに該当する。

なお、非居住者が行う資産の譲渡及び貸付け並びに役務の提供であっても、それが事業と

して対価を得て行われるものであるときは、これらの行為は、資産の譲渡等に該当する。

⑤ 借地権に係る更新料、更新手数料

借地権に係る更新料（更改料を含む。）又は名義書換料は、土地の上に存する権利の設定若

しくは譲渡又は土地の貸付けの対価に該当する。

また、不動産業者に対する更新手数料は、不動産業者による役務の提供の対価に該当し課税仕入れとなる。

なお、更新手数料は、甲社が所有する国内店舗に係るものであるため、課税資産の譲渡等にのみ要する課税仕入れに区分する。

非課税となる場合	借地権に係る更新料、名義書換料
非課税とならない場合 （＝課税取引）	更新手数料

(2) その他の資産の譲渡等にのみ要するもの

① 修繕費

アパートＸを居住用として貸し付けるために支出した工事費用は、住宅の貸付けに対応する課税仕入れであることから、その他の資産の譲渡等にのみ要するものとして取り扱うことになる。

② 支払手数料

社宅マンションの契約更改にあたり不動産業者に支払った手数料は、住宅の貸付けに対応する課税仕入れであることから、その他の資産の譲渡等にのみ要するものとして取り扱うことになる。

③ 立退料（基通５－２－７）

建物等の賃借人が建物等の契約の解除に伴い賃貸人から収受する立退料は、資産の譲渡等の対価に該当しない。したがって、本問において甲社が支払う立退料は、課税仕入れに該当しない。

(3) 課税資産の譲渡等とその他の資産の譲渡等に共通して要するもの

① 違約金及び事務手数料（基通５－５－２）

宿泊先の変更に伴い支払った違約金は資産の譲渡等の対価に該当しないため、不課税取引に該当する。ただし、解約手数料、取消手数料等を対価とする役務の提供のように、資産の譲渡等に係る契約等の解約取消等の請求に応じ対価を得て行われる役務の提供は、資産の譲渡等に該当する。

したがって、本問における宿泊先の変更に係る事務手数料は課税仕入れに該当する。

課税の対象とならないもの （＝不課税取引）	予約の取消し、変更等に伴うキャンセル料、解約損害金 （例）土地売買契約の破棄に伴い収受する違約金 　　　宿泊旅館の予約変更に伴い収受する違約金
課税の対象となるもの	上記の請求等に応ずる事務手数料（解約手数料、取消手数料、払戻手数料等）

② 人間ドック費用

社会保険医療等以外の自由診療は課税取引に該当するため、人間ドック費用は課税仕入れ

に該当する。

③　広告宣伝費

　　甲社のホームページ製作委託料は、役務の提供地が国内であるため課税仕入れに該当し、さらに甲社全体に係る費用と考えられるため、課税資産の譲渡等とその他の資産の譲渡等に共通して要する課税仕入れに区分する。

4　転用

アパートⅩ（土地）…調整対象固定資産に該当しない。

```
┌─── ＜転用の要件＞ ──────────────────────────────────┐
│ ① 　課税事業者が調整対象固定資産（税抜き100万円以上）の課税仕入れ等を行っ │
│ 　ていること                                                             ┐ 仕入時│
│ ② 　仕入れ等の課税期間において「個別対応方式」により課税資産の譲渡等にのみ   │ の要件│
│ 　要するもの（又はその他の資産の譲渡等にのみ要するもの）として税額計算して  │      │
│ 　いること                                                               ┘      │
│ ③ 　課税事業者が仕入れ等の日から３年以内にその他の資産の譲渡等に係る業務    ┐ 当　期│
│ 　の用（又は課税資産の譲渡等に係る業務の用）に転用していること            ┘ の要件│
└────────────────────────────────────────────┘
```

上記の要件をすべて満たす場合に転用の調整を行う。

問題6 解答

—119—

※　□で囲まれた数字は配点を示す。

Ⅰ　課税標準額に対する消費税額の計算等

【課税標準額】

計　算　過　程	（単位：円）
$1,112,729,100＋296,600＋1,260,000＋\underline{90,000}\boxed{2}＋\underline{315,000}\boxed{2}※＋18,460,000＋\underline{1,550,000}\boxed{2}$	

$=1,134,700,700$

$1,134,700,700×\dfrac{100}{110}＝1,031,546,090 → 1,031,546,000$（千円未満切捨）

※　$315,000×50\%＝157,500＞150,000$

　　$252,000＞150,000$

	金額	1,031,546,000円

【課税標準額に対する消費税額】

計　算　過　程　　　　（単位：円）	金額	80,460,588円
$1,031,546,000×7.8\%＝80,460,588$		

【控除過大調整税額】

計　算　過　程　　　　（単位：円）	金額	$\boxed{2}$　46,161円
$651,000×\dfrac{7.8}{110}＝46,161$		

Ⅱ　仕入れに係る消費税額の計算等

【課税売上割合】

計　算　過　程	（単位：円）

(1) 課　税

①　$1,031,546,090＋67,876,800＋\underline{80,000}\boxed{2}＋\underline{240,000}\boxed{2}＝1,099,742,890$

②　$115,081,340×\dfrac{100}{110}＋11,792,640＝116,412,040$

③　①－②＝$983,330,850＞500,000,000$　　∴　按分必要

(2) 非課税

$3,779,200＋\underline{748,000}\boxed{2}＋2,016,000＋80,000,000×5\%＋1,846,000,000＋\underline{100,000,000}\boxed{2}$

$＝1,956,543,200$

(3)　$\dfrac{(1)}{(1)＋(2)}＝\dfrac{983,330,850}{2,939,874,050}＝0.3344\cdots＜95\%$

割合	$\dfrac{983,330,850円}{2,939,874,050円}$

【控除対象仕入税額】

計　　算　　過　　程	（単位：円）

(1) 課税仕入れ等の区分

　① 課税資産の譲渡等にのみ要するもの

　　イ　課税仕入れ

　　　　$57,717,781 + \underline{134,254}\boxed{2} + 890,400 + 820,363 + \underline{206,981}\boxed{2} = 59,769,779$

　　　　$59,769,779 \times 78\% = 46,620,427$

　　ロ　課税貨物

　　　　$8,072,000$

　　ハ　仕入返還等

　　　　$202,190 \times 78\% = \underline{157,708}\boxed{2}$

　　ニ　引取還付

　　　　$\underline{64,000}\boxed{2}$

　② その他の資産の譲渡等にのみ要するもの

　　　　$\underline{15,818}\boxed{2} + 90,181 = 105,999$

　　　　$105,999 \times 78\% = 82,679$

　③ 共通して要するもの

　　　　$\underline{236,145}\boxed{2} + 108,072 + 45,000 + 68,945 + 278,181 + 19,963 + 54,400 + 345,600$

　　　　$+ \underline{171,818}\boxed{2} + 201,905 + 197,727 + 3,632,276 + 349,090 + \underline{343,636}\boxed{2} = 6,052,758$

　　　　$6,052,758 \times 78\% = 4,721,151$

　④ 合　計

　　イ　課税仕入れ

　　　　$59,769,779 + 105,999 + 6,052,758 = 65,928,536$

　　　　$65,928,536 \times 78\% = 51,424,258$

　　ロ　課税貨物

　　　　$8,072,000$

　　ハ　仕入返還等

　　　　$157,708$

　　ニ　引取還付

　　　　$64,000$

(2) 個別対応方式

　　　$(46,620,427 + 8,072,000 - 157,708 - 64,000) + 4,721,151 \times \dfrac{983,330,850}{2,939,874,050} = 56,049,852$

(3) 一括比例配分方式（計算パターン$\boxed{2}$）

　　　$(51,424,258 + 8,072,000) \times \dfrac{983,330,850}{2,939,874,050} - 157,708 \times \dfrac{983,330,850}{2,939,874,050} - 64,000$

　　　$\times \dfrac{983,330,850}{2,939,874,050} = 19,826,188$

(4) 判　定

　　　(2) ＞ (3)　　　　　　∴　56,049,852

【控除対象仕入税額】（続き）

〔調整対象固定資産に係る控除税額の調整の計算等〕

(1) 調整対象固定資産の判定

① 商標権

$3,192,000 \times \dfrac{100}{110} = \underline{2,901,818} \geqq 1,000,000 \boxed{2}$　　∴　該当する

② 事務機器

$577,500 \times \dfrac{100}{110} = 525,000 < 1,000,000$　　∴　該当しない

(2) 著しい変動の判定

① 仕入れ時の課税売上割合

イ　課　税

(イ)　$(446,820,000 - 3,360,000 - 44,640,000) \times \dfrac{100}{110} + 44,640,000 = 407,203,636$

(ロ)　$(24,184,000 - 2,640,000) \times \dfrac{100}{110} + 2,640,000 = 22,225,454$

(ハ)　(イ) − (ロ) $= 384,978,182 \leqq 500,000,000$

ロ　非課税

$3,360,000$

ハ　$\dfrac{イ}{イ + ロ} = \dfrac{384,978,182}{388,338,182} \boxed{2} = 0.9913\cdots \geqq 95\%$　　∴　全額控除

② 通算課税売上割合

イ　課　税

$384,978,182 + 376,914,545 ※ + 983,330,850 = 1,745,223,577$

※(イ)　$(817,560,000 - 389,100,000 - 28,460,000) \times \dfrac{100}{110} + 28,460,000 = 392,096,363$

(ロ)　$(16,474,000 - 2,260,000) \times \dfrac{100}{110} + 2,260,000 = 15,181,818$

(ハ)　(イ) − (ロ) $= 376,914,545$

ロ　非課税

$3,360,000 + 389,100,000 + 1,956,543,200 = 2,349,003,200$

ハ　$\dfrac{イ}{イ + ロ} = \dfrac{1,745,223,577}{4,094,226,777} = 0.4262\cdots$

③ 判　定（計算パターン$\boxed{2}$）

イ　変動差

① − ② $= 0.5650\cdots \geqq 5\%$

ロ　変動率

$\dfrac{イ}{①} = 0.5700\cdots \geqq 50\%$

∴　著しい変動（減少）に該当する

【控除対象仕入税額】（続き）

計　算　過　程	（単位：円）
(3) 調整税額	
① 調整対象基準税額	
商標権　$3,192,000 \times \dfrac{7.8}{110} = 226,341$	
② 仕入れ時の控除税額	
$\underline{226,341}$ ②	
③ 通算課税売上割合による控除税額	
$226,341 \times \dfrac{1,745,223,577}{4,094,226,777} = 96,481$	
④ 調整税額	
②－③＝129,860	

〔控除対象仕入税額の計算〕	金額	
$56,049,852 - \underline{129,860}$②$= 55,919,992$		55,919,992円

【売上げに係る対価の返還等に係る消費税額】

計　算　過　程　（単位：円）	金額		
$115,081,340 \times \dfrac{7.8}{110} = 8,160,313$		②	8,160,313円

【貸倒れに係る消費税額】

計　算　過　程　（単位：円）	金額		
$1,124,000 \times \dfrac{7.8}{110} = 79,701$		②	79,701円

Ⅲ　差引税額の計算

計　算　過　程　（単位：円）	金額	
$80,460,588 + 46,161 - (55,919,992 + 8,160,313 + 79,701)$ $= 16,346,743 \rightarrow 16,346,700$ （百円未満切捨）		16,346,700円

Ⅳ　納付税額の計算

計　算　過　程　（単位：円）	金額		
$16,346,700 - 6,840,000 = 9,506,700$		②	9,506,700円

【配　点】　②×25カ所　　合計50点

問題7　解答

1　課税標準額

(1) 商標権使用料（法4③一、令6五）

　　商標権の貸付けについての国内取引の判定は、権利の登録機関の所在地が国内かどうかにより判定する。本問においては、当該商標権が国内で登録されているため、当該貸付けは国内において行われていることとなる。

(2) 外貨建取引に係る対価（基通10-1-7）

　　為替差損益は、資産の譲渡等の対価の額又は課税仕入れに係る支払対価の額に含まれない。

(3) 一時的な土地の貸付け（法6①、別表第二、令8）

　　1月未満の土地の貸付けであることから、非課税取引に該当せず、課税取引に該当する。

(4) 低額譲渡（法28①ただし書き、基通10-1-2）

　　低額譲渡とは、「法人が資産をその役員に対し著しく低い価額により譲渡した場合」をいう。

　　「資産の価額に比し著しく低いとき」とは、法人のその役員に対する資産の譲渡金額が、当該譲渡の時における資産の価額に相当する金額のおおむね50％に相当する金額に満たない場合をいうものとする。

(5) みなし譲渡（法4、法28③、基通10-1-18）

　　みなし譲渡とは、「個人事業者が棚卸資産又は棚卸資産以外の事業用資産を家事のために消費又は使用した場合」及び「法人が資産をその社の役員に対し贈与した場合」をいう。

【低額譲渡とみなし譲渡の場合の売上計上金額】

区　　　分	判　　定	棚卸資産以外	棚卸資産
低 額 譲 渡	該 当 す る　※	時　　　　　価	
	該 当 し な い	受 領 し た 金 額	
み な し 譲 渡	該 当 す る	時　　　　価	時価×50％ 仕入価額（＊）｝大

※　次の要件に該当する場合には、低額譲渡となる。

①	棚卸資産以外の資産の場合 … 譲渡時の価額×50％＞譲渡金額
②	棚卸資産の場合 ｛ 仕 入 価 額 （＊）＞譲渡金額 又　　は 通常の販売価額×50％＞譲渡金額

（＊）　製品の場合には、**製造原価のうち課税仕入れからなる金額**

　　低額譲渡及びみなし譲渡の場合の売上計上金額を、それぞれ棚卸資産の場合と棚卸資産以外の資産の場合に区別しておさえておくこと。

2 　課税売上割合

(1)　免税売上高

①　保税地域における輸入の許可を受けた内国貨物の保管（令17②四）

　　輸出免税となる外国貨物の荷役、運送、保管、検数、鑑定その他これらに類する役務の提供には、指定保税地域等における内国貨物に係るこれらの役務の提供を含む。

②　非居住者に対する役務の提供（令6②六、17②七）

　　非居住者に対する役務の提供（国内において行う課税資産の譲渡等に該当するもの）で、国内において直接便益を享受するもの以外のものは、輸出取引等に該当し、免税取引となる。

(2)　非課税売上高

①　収益の分配金（基通6-3-1）

　　株式投資信託の分配金は、非課税取引に該当する。

②　社宅使用料収入（基通6-13-7）

家　　主	住宅の貸付け 非課税取引	甲　　社	社宅の貸付け 非課税取引	社　　員

　　社宅の貸付けは、住宅の貸付けであるため、非課税取引に該当する。

③　土地の交換（令45②四）

　　交換の場合の売上計上金額は、交換取得資産の時価相当額が対価の額となる。

　　なお、本問とは関係ないが、交換差金を収受した場合又は支払った場合には、交換取得資産の時価相当額から交換差金の額を加減算した金額が対価の額となる。

3 　課税仕入れ等

(1)　課税資産の譲渡等にのみ要するもの

①　倉庫の賃借料

　　保税地域における倉庫の賃借料は、住宅以外の建物の貸付けであることから、課税仕入れに該当する。

②　区分収受の地代（基通6-1-5（注）2）

　　建物その他の施設の貸付け又は役務の提供に伴って土地を使用させた場合において建物の貸付け等に係る対価と土地の貸付けに係る対価とに区分しているときであっても、その対価の額の合計額が当該建物の貸付け等に係る対価の額となることに留意する。

③　課税貨物に係る引取還付（法32④）

　　保税地域からの引取りに係る課税貨物につき返品があった場合において、他の法律（輸徴法）の規定により消費税の還付を受けるときは、課税仕入れ等の税額から還付を受ける消費税額を控除する。

　　ただし、輸入した商品について海外の仕入先から受けたリベートについては、他の法律の規定による消費税の還付はないことから、消費税の取扱いは生じない。

(2) その他の資産の譲渡等にのみ要するもの

《支払手数料》

　従業員用借上社宅の賃貸借契約更新にあたり不動産業者に支払った手数料は、課税仕入れに該当し、また、住宅の貸付けに対応する課税仕入れであることから、その他の資産の譲渡等にのみ要するものとして取り扱うことになる。

(3) 課税資産の譲渡等とその他の資産の譲渡等に共通して要するもの

① 違約金（基通5-5-2）

　宿泊先の変更に伴い支払った違約金は資産の譲渡等の対価に該当しないため、不課税取引に該当する。

② 人間ドック費用

　社会保険医療等以外の自由診療は課税取引に該当するため、人間ドック費用は課税仕入れに該当する。

③ 渡切交際費（基通11-2-23）

　事業者が交際費、機密費等の名義をもって支出した金銭でその費途が明らかでないものについては、税額控除の適用を受けることはできない。

④ 借家保証金、権利金等（基通5-4-3）

　建物又は土地等の賃貸借契約等の締結又は更改に当たって受ける保証金、権利金、敷金又は更改料（更新料を含む。）のうち賃貸借期間の経過その他当該賃貸借契約等の終了前における一定の事由の発生により返還しないこととなるものは、権利の設定の対価であるから資産の譲渡等の対価に該当するが、当該賃貸借契約の終了等に伴って返還することとされているものは、資産の譲渡等の対価に該当しないことに留意する。

　本問においては、従業員用借上社宅の賃貸借契約の更新に伴う更新料及び本社ビルの賃貸借契約の締結に伴う権利金は、いずれも資産の譲渡等の対価に該当する。しかし、本社ビルの賃貸借契約の締結に伴う保証金は、資産の譲渡等の対価に該当しない。

　従業員用借上社宅に係る更新料は住宅の貸付の対価であることから課税仕入れとはならないが、本社ビルに係る権利金は、住宅の貸付以外の対価であることから課税仕入れとなり、個別対応方式の適用については課税資産の譲渡等とその他の資産の譲渡等に共通して要するものとなる。

【保証金・権利金等】

課税の対象とならないもの （＝不課税取引）	返還義務のあるもの
課税の対象となるもの	返還義務のないもの

4 調整対象固定資産の調整（変動）

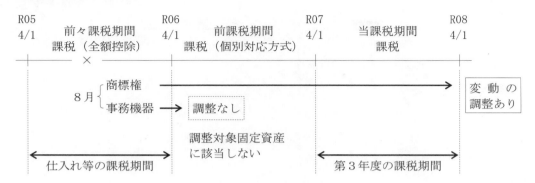

（1）変動の要件

以下の要件をすべて満たす場合に調整を行う。

イ　課税事業者が調整対象固定資産（税抜き100万円以上）の課税仕入れ等を行っていること	仕入時
ロ　仕入れ等の課税期間において比例配分法により税額控除を行っていること（課税仕入れ等の税額の全額が控除された場合を含む）	の要件
ハ　第3年度の課税期間（当期）の末日において保有していること	当　期
ニ　課税売上割合が著しく変動（変動差≧5％かつ変動率≧50％）していること	の要件

（2）調整対象固定資産の定義（法2①十六、令5）

事務機器は、一取引単位での税抜金額が100万円未満のため、調整対象固定資産に該当しない。

5 売上返還等

《輸出免税売上げに係る売上返還等》

商品の輸出売上げに係るものについては税額控除の適用はない。なお、課税売上割合の計算では考慮しなければならない点に注意する。

6 貸倒れ

貸付金は課税資産の譲渡等（消費税が免除されるものを除く。）に係る債権でないため、その貸倒れについては、税額控除の適用はない。

I　課税標準額に対する消費税額の計算等

【課税標準額】

計　算　過　程		（単位：円）
$539,921,000＋33,415,200＋2,808,000＋\underline{5,400,000＋1,800,000}$ ② $＋58,000,000×\dfrac{3}{7+3}$ ②　$＝600,744,200$		
$600,744,200×\dfrac{100}{110}＝546,131,090 → 546,131,000$ （千円未満切捨）		
	金額	546,131,000円

【課税標準額に対する消費税額】

計　算　過　程　（単位：円）	金額	
$546,131,000×7.8\%＝42,598,218$		42,598,218円

【控除過大調整税額】

計　算　過　程　（単位：円）	金額	
$1,580,000×\dfrac{7.8}{110}＝112,036$	②	112,036円

II　仕入れに係る消費税額の計算等

【課税売上割合】

計　算　過　程		（単位：円）
(1) 課　税		
①　$546,131,090＋231,826,700＋8,487,400＋\underline{880,000}$ ② $＝787,325,190$		
②　$(4,263,700＋1,531,600)×\dfrac{100}{110}＋2,403,000＋1,116,700＝8,788,154$		
③　①－②＝778,537,036＞$\underline{500,000,000}$　∴　按分必要 ②		
(2) 非課税		
$4,680,000＋347,642＋26,135＋\underline{780,000}$ ② $＋58,000,000×\dfrac{7}{7+3}＋25,000,000×5\%$　$＝47,683,777$		
(3)　$\dfrac{(1)＋\overset{②}{72,077,300}＋45,000②}{(1)＋(2)＋72,077,300}＝\dfrac{850,659,336}{898,298,113}＝0.9469…＜95\%$		
	割合	$\dfrac{850,659,336円}{898,298,113円}$

【控除対象仕入税額】

計　算　過　程	（単位：円）

(1) 課税仕入れ等の区分

① 課税資産の譲渡等にのみ要するもの

イ　課税仕入れ

334,931,400＋4,519,000＋300,000＋35,218,964＋20,006,786＋34,562,549

＋1,450,000②＋1,650,000＋298,000＋796,500②＋2,760,000＋1,400,000②

＋3,800,000②＋9,500,000＝451,193,199

$$451,193,199 \times \frac{7.8}{110} = 31,993,699$$

ロ　課税貨物

908,000＋101,400＝1,009,400②

ハ　仕入返還等

1,754,000＋201,500＝1,955,500

$$1,955,500 \times \frac{7.8}{110} = \underline{138,662}②$$

② その他の資産の譲渡等にのみ要するもの

$$130,000 \times \frac{7.8}{110} = 9,218$$

③ 共通して要するもの

イ　7.8％

3,600,000＋1,193,859＋1,473,560＋440＋990,000②＋(4,846,920－1,008,000)②

＋5,236,403＋280,000＋8,945,320＋818,150＋(3,300,000－26,400)②

＋(645,700－36,800＋9,376,000＋291,500＋1,796,706)＋4,113,813＋126,000

＋4,560,000＋1,200,000＋436,800＋4,131,218＋1,680,000＝57,971,189

$$57,971,189 \times \frac{7.8}{110} = 4,110,684$$

ロ　6.24％

220,000②＋48,000＝268,000

$$268,000 \times \frac{6.24}{108} = 15,484$$

ハ　イ＋ロ＝4,126,168

④ 合　計

イ　課税仕入れ

(イ) 7.8％

451,193,199＋130,000＋57,971,189＝509,294,388

$$509,294,388 \times \frac{7.8}{110} = 36,113,602$$

(ロ) 6.24％

15,484

(ハ) (イ)＋(ロ)＝36,129,086

問題8

解答

【控除対象仕入税額】（続き）

計 算 過 程 （単位：円）
ロ　課税貨物　　1,009,400
ハ　仕入返還等　　138,662
(2)　個別対応方式
$(31,993,699+1,009,400-138,662)+4,126,168 \times \dfrac{850,659,336}{898,298,113}=36,771,784$
(3)　一括比例配分方式
$(36,129,086+1,009,400) \times \dfrac{850,659,336}{898,298,113}-138,662 \times \dfrac{850,659,336}{898,298,113}=35,037,640$
(4)　判　定
(2)＞(3)　　∴　　36,771,784

〔調整対象固定資産に係る控除税額の調整の計算等〕		
(1)　調整対象固定資産の判定		
①　システムキッチン		
$(1,085,000-50,000) \times \dfrac{100}{110}=\underline{940,909}<1,000,000$　　∴　該当しない **2**		
②　ゴルフ会員権		
$2,200,000 \times \dfrac{100}{110}=2,000,000 \geqq 1,000,000$　　∴　該当する		
③　応接ソファ		
$950,000+120,000+155,000=\underline{1,225,000} \geqq 1,000,000$　　∴　該当する **2**		
(2)　著しい変動		
ゴルフ会員権及び応接ソファは、当課税期間が第3年度の課税期間に該当しないため、変動の調整なし **2**		
〔控除対象仕入税額の計算〕 36,771,784	金額	36,771,784円

【売上げに係る対価の返還等に係る消費税額】

計 算 過 程 （単位：円）	金額	
$4,263,700+1,531,600=5,795,300$ $5,795,300 \times \dfrac{7.8}{110}=410,939$		**2**　　410,939円

【貸倒れに係る消費税額】

計 算 過 程 （単位：円）	金額	
$5,078,819 \times \dfrac{7.8}{110}=360,134$		**2**　　360,134円

【控除税額小計】

計　算　過　程　　　　　（単位：円）	金額	
$36,771,784 + 410,939 + 360,134 = 37,542,857$		37,542,857円

Ⅲ　差引税額又は控除不足還付税額の計算

計　算　過　程　　　　　（単位：円）	金額	差引税額
$42,598,218 + 112,036 - 37,542,857 = 5,167,397$ →　5,167,300（百円未満切捨）		5,167,300円
		控除不足還付税額
		0円

Ⅳ　中間納付税額の計算

計　算　過　程　　　　　　　　　　　　　　　（単位：円）		
(1)　一　月 　　　$\dfrac{1,833,300}{3} = 611,100 \leqq 4,000,000$　　∴　適用なし (2)　三　月 　①　$\dfrac{1,833,300}{3} \times 3 = 1,833,300 > 1,000,000$　　∴　適用あり 　②　$1,833,300$（百円未満切捨）$\times 3$回$= 5,499,900$ (3)　六　月 　　　適用なし		
	金額	② 　5,499,900円

Ⅴ　納付税額又は中間納付還付税額の計算

計　算　過　程　　　　　（単位：円）	金額	納付税額
$5,499,900 - 5,167,300 = 332,600$		0円
		中間納付還付税額
		② 　332,600円

【配　点】　② ×25カ所　　合計50点

問題 8

解答

1　課税標準額

(1) ウィークリーマンションに係る賃貸収入

　　旅館業法第2条第1項に規定する旅館業に該当するものは、住宅の貸付けから除かれる。したがって、D社から収受した賃貸収入は、課税売上げとなる。

2　課税売上割合

(1) 非課税売上高

① 転貸する場合の取扱い（基通6-13-7）

　　社宅については、「社員への貸付け」及び「法人が家主から借上げた場合」も非課税である。したがって、C社から収受した賃貸収入については、非課税売上げとなる。

② 信用の保証料（基通6-3-1(2)）

　　他の者の金銭等の借入れに伴い、連帯保証を負ったことにより収受する保証料（信用の保証料）は、非課税取引となる。

(2) 非課税資産の輸出等

① 資産の国外移送（法31②）

　　資産の国外移送があった場合には、当該資産の価額に相当する金額として、本船甲板渡し価格（FOB価格）を課税売上割合の計算上、資産の譲渡等の対価の額（分母）及び課税資産の譲渡等の対価の額（分子）それぞれに含めることとなる。

② 非課税資産の輸出（法31①）

　　非課税資産の輸出があった場合には、当該輸出に係る売上金額を、課税売上割合の計算上、課税資産の譲渡等の対価の額（分子）に含めて取り扱う。したがって、本問では、外国法人（非居住者）から受けた利息については、非課税資産の輸出として取り扱う。

3　課税仕入れ等の注意点

(1) 保税地域から引き取った課税貨物（法30①）

　　輸入の際税関に納付した消費税額のほか、納期限の延長を受けた未納消費税額についても、課税貨物の引取りが当期に行われているため税額控除を行う。

(2) 人材派遣料（基通5-5-11）

　　労働者の派遣に伴い、派遣会社が派遣先から収受する派遣料等の金銭は、資産の譲渡等の対価に該当する。

(3) 給与負担金（基通5-5-10）

　　出向先事業者が給与負担金を出向元事業者に支出したときは、その給与負担金の額は、その出向先事業者におけるその出向者に対する給与として取り扱う。

(注)この取扱いは、出向先事業者が実質的に給与負担金の性質を有する金額を経営指導料等の名義で支出する場合にも適用する。

(4) キャンセル料（基通5-5-2）

　予約の取消し、変更等に伴って予約を受けていた事業者が収受するキャンセル料、解約損害金等は、逸失利益等に対する損害賠償金であり、資産の譲渡等の対価に該当しないが、解約手数料、取消手数料等を対価とする役務の提供のように、資産の譲渡等に係る契約等の解約、取消し等の請求に応じ、対価を得て行われる役務の提供は資産の譲渡等に該当する。

　本問における航空機の取消手数料は、逸失利益に対する補填であり課税仕入れとはならないが、払戻手数料は事務手数料に該当するため課税仕入れとなる。単に用語で押さえるのではなく取引の実質をつかむようにすること。

(5) 海外出張における旅費、日当

　出張旅費、宿泊費、日当等のうち、出張等のために通常必要であると認められる部分の金額は、課税仕入れに係る支払対価に該当する。ただし、海外出張のために支給する旅費、宿泊費及び日当等は、原則として課税仕入れに該当しない。

(6) 金銭以外の資産の贈与（基通11-2-17）

　金銭以外の資産を贈与した場合のその資産の取得が課税仕入れ等に該当するときは、税額控除の規定を適用する。したがって、本問における骨董品の購入費は課税仕入れとなる。

　個別対応方式により計算する場合には、その課税仕入れ等は原則として課税資産の譲渡等とその他の資産の譲渡等に共通して要するものとして取り扱う。

(7) 割賦購入した車両（基通11-3-2）

　資産の購入については、代金の支払方法は分割払いとなっていても、当該資産の引渡しを受けた日の属する課税期間において税額控除を行う。なお、割賦購入手数料は非課税となる。

(8) 指定保税地域内の倉庫の賃借料

　輸出商品等を保管するために指定保税地域内に賃借している倉庫の賃借料は、国内における倉庫の賃借料であるから課税仕入れに該当する。

(9) 事業者が収受する販売奨励金（基通12-1-2）

　事業者が販売促進の目的で販売奨励金等の対象とされる課税資産の販売数量、販売高等に応じて取引先から金銭により支払を受ける販売奨励金等は、仕入れに係る対価の返還等に該当する。

(10) 保険金等による資産の譲受け（基通11-2-10）

　保険金、補助金、損害賠償金等を資産の譲受け等に充てた場合であっても、その資産の譲受け等が課税仕入れに該当するときは、その課税仕入れにつき仕入れに係る消費税額の控除の規定が適用される。

　なお、本問における旧倉庫の取り壊し費用は、商品倉庫を建設するための費用であるため、

課税資産の譲渡等にのみ要する課税仕入れ等に該当する。

(11) 新工場建設に係る土地購入手数料

国内販売に係る新工場を建設するための土地購入手数料であるため、課税資産の譲渡等にのみ要するものに区分する。

4　調整対象固定資産に係る調整税額

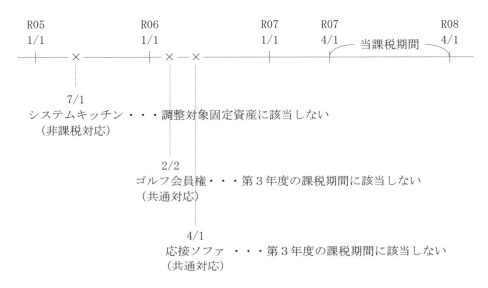

(1) 調整対象固定資産の判定

① システムキッチン（基通12-2-2）

調整対象固定資産の支払対価には付随費用（据付費）は含まれない。

② 輸入した応接ソファ（法2①十六）

調整対象固定資産に該当するかどうかの判定は次のように行う。

課税貨物に係る課税標準である金額（注1）×××円 ≧ 1,000,000円

（注1）関税課税価格（注2）＋消費税以外の消費税等＋関税額

（注2）本体価格＋本邦の港までの運賃＋保険料

(2) 課税売上割合の著しい変動

ゴルフ会員権及び応接ソファは、当課税期間が第3年度の課税期間（仕入れ等の課税期間の開始の日から3年を経過する日の属する課税期間）に該当しないため、調整は行わない。

5　中間申告

本問においては、事業年度の変更に伴い、前課税期間の月数は3月となる。

前期の確定消費税額を前課税期間の月数（3月）で除して判定することに注意すること。

※ □で囲まれた数字は配点を示す。

Ⅰ 簡易課税制度の適用の有無の判定

計 算 過 程	（単位：円）

(1) 届出書の提出あり

(2)① $(54,952,000-8,194,000-2,202,000) \times \dfrac{100}{110} + 2,202,000 = 42,707,454$

  ② $(2,480,000-195,000) \times \dfrac{100}{110} + 195,000 = 2,272,272$

  ③ ①－②＝ $\underline{40,435,182} \leqq 50,000,000$ ②

判定	㊒ ・ 無 いずれかに○をつけること

Ⅱ 課税標準額に対する消費税額の計算等

【課税標準額】

計 算 過 程	（単位：円）

(1) 第一種

  $\underline{2,977,000}$ ②

(2) 第二種

 ① 7.8%

  5,817,500

 ② 6.24%

  $\underline{476,000}$ ②

(3) 第三種

  $(30,175,300-2,100,000)+596,500 = \underline{28,671,800}$ ②

(4) 第四種

  $2,553,100 + 110,000,000 \times \underline{\dfrac{4}{6+4}}$ ② $+ \underline{15,312,100}$ ② $+ \underline{1,320,000}$ ② $= 63,185,200$

(5) 第五種

  $\underline{2,961,000}$ ② $+ \underline{11,972,800}$ ② $+ \underline{907,200}$ ② $= 15,841,000$

(6) 第六種

  $55,000 + \underline{3,024,000} + \underline{292,300}$ ② $+ \underline{399,000}$ ② $= 3,770,300$

【課税標準額】（続き）

計 算 過 程		（単位：円）
(7) 合 計 ① 7.8% 　(1)＋(2)①＋(3)＋(4)＋(5)＋(6)＝120,262,800 　120,262,800×$\frac{100}{110}$＝109,329,818　→　109,329,000（千円未満切捨） ② 6.24% 　476,000×$\frac{100}{108}$＝440,740　→　440,000（千円未満切捨） ③ ①＋②＝109,769,000	金 額	109,769,000円

【課税標準額に対する消費税額】

計 算 過 程　（単位：円）		
(1)　109,329,000×7.8%＝8,527,662 (2)　440,000×6.24%＝27,456 (3)　(1)＋(2)＝8,555,118	金 額	8,555,118円

【貸倒回収に係る消費税額】

計 算 過 程　（単位：円）			
384,170×$\frac{7.8}{110}$＝27,241	金 額	②2	27,241円

Ⅲ　仕入れに係る消費税額の計算等

【売上げに係る対価の返還等に係る消費税額】

計 算 過 程		（単位：円）
(1)　第一種 　890,500 (2)　第二種 　109,200 ②2 (3)　第三種 　126,900＋42,300 ②2 ＝169,200 (4)　合 計 　(1)＋(2)＋(3)＝1,168,900 　1,168,900×$\frac{7.8}{110}$＝82,885	金 額　②2	82,885円

【貸倒れに係る消費税額】

計　算　過　程　　　　　　　（単位：円）	金額	②	64,067円
$903,510 \times \dfrac{7.8}{110} = 64,067$			

【控除対象仕入税額】

計　算　過　程　　　　　　　　　　　　　　　　　　（単位：円）

(1) 課税売上高

① 第一種

$2,977,000 \times \dfrac{100}{110} - 890,500 \times \dfrac{100}{110} = 1,896,818$

② 第二種

イ　$5,817,500 \times \dfrac{100}{110} + 476,000 \times \dfrac{100}{108} = 5,729,376$

ロ　$109,200 \times \dfrac{100}{110} = 99,272$

ハ　イ－ロ＝5,630,104

③ 第三種

$28,671,800 \times \dfrac{100}{110} - 169,200 \times \dfrac{100}{110} = 25,911,454$

④ 第四種

$63,185,200 \times \dfrac{100}{110} = 57,441,090$

⑤ 第五種

$15,841,000 \times \dfrac{100}{110} = 14,400,909$

⑥ 第六種

$3,770,300 \times \dfrac{100}{110} = 3,427,545$

⑦ 合　計

①＋②＋③＋④＋⑤＋⑥＝108,707,920

(2) 消費税額

① 第一種

$2,977,000 \times \dfrac{7.8}{110} - 890,500 \times \dfrac{7.8}{110} = \underline{147,952}$ ②

② 第二種

イ　$5,817,500 \times \dfrac{7.8}{110} + 476,000 \times \dfrac{6.24}{108} = 440,015$

ロ　$109,200 \times \dfrac{7.8}{110} = 7,743$

ハ　イ－ロ＝432,272

問題9

解答

【控除対象仕入税額】（続き）

<table>
<tr><td colspan="2" align="center">計　算　過　程</td><td align="right">（単位：円）</td></tr>
</table>

③　第三種

$$28,671,800 \times \frac{7.8}{110} - 169,200 \times \frac{7.8}{110} = 2,021,094$$

④　第四種

$$63,185,200 \times \frac{7.8}{110} = 4,480,405$$

⑤　第五種

$$15,841,000 \times \frac{7.8}{110} = 1,123,270$$

⑥　第六種

$$3,770,300 \times \frac{7.8}{110} = 267,348$$

⑦　合　計

$$①+②+③+④+⑤+⑥ = 8,472,341$$

(3)　基礎税額〔計算パターン ②〕

$$8,555,118 + 27,241 - 82,885 = 8,499,474$$

(4)　仕入税額

①　原　則

$$8,499,474 \times \frac{5,250,555※}{8,472,341} (0.6197\cdots) = 5,267,370$$

　　※　$147,952 \times 90\% + 432,272 \times 80\% + 2,021,094 \times 70\% + 4,480,405 \times 60\%$

　　　　$+ 1,123,270 \times 50\% + 267,348 \times 40\% = \underline{5,250,555}$ ②

②　特　例

　イ　特定1事業（第四種）

$$\frac{57,441,090}{108,707,920} = 0.5283\cdots \quad \underline{< 75\% \qquad \therefore \quad 適用なし}$$ ②

　ロ　特定2事業

　　㋑　第一種と第四種

$$\frac{1,896,818 + 57,441,090}{108,707,920} = 0.5458\cdots \quad < 75\% \qquad \therefore \quad 適用なし$$

　　㋺　第二種と第四種

$$\frac{5,630,104 + 57,441,090}{108,707,920} = 0.5801\cdots \quad < 75\% \qquad \therefore \quad 適用なし$$

　　㋩　第三種と第四種

$$\frac{25,911,454 + 57,441,090}{108,707,920} = 0.7667\cdots \quad \underline{\geqq 75\% \qquad \therefore \quad 適用あり}$$ ②

$$8,499,474 \times \frac{5,285,513※}{8,472,341} (0.6238\cdots) = 5,302,440$$

　　　　※　$2,021,094 \times 70\% + (8,472,341 - 2,021,094) \times 60\% = 5,285,513$

　＊　その他の特例については、明らかに不利であるため判定省略

(5)　判　定

<table>
<tr><td>(4)② ロ ㋩　＞　(4)①　　∴　5,302,440</td><td>金額</td><td>②</td><td align="right">5,302,440円</td></tr>
</table>

Ⅳ 差引税額の計算

計 算 過 程 （単位：円）	金額	
$8,555,118+27,241-(5,302,440+82,885+64,067)=3,132,967$ 　　→ $3,132,900$（百円未満切捨）		$3,132,900$円

Ⅴ 中間納付税額の計算

計 算 過 程 （単位：円）		
(1) 一 月 　　$\dfrac{997,500}{12}=83,125 \leqq 4,000,000$　　　∴ 適用なし		
(2) 三 月 　　$\dfrac{997,500}{12} \times 3 = 249,375 \leqq 1,000,000$　　　∴ 適用なし		
(3) 六 月 　① $\dfrac{997,500}{12} \times 6 = 498,750 > 240,000$　　∴ 適用あり 　② $498,700$ （百円未満切捨）	金額	②　$498,700$円

Ⅵ 納付税額の計算

計 算 過 程 （単位：円）	金額	
$3,132,900-498,700=2,634,200$		②　$2,634,200$円

【配　点】　②×25カ所　　合計50点

問題 9

解答

1　課税標準及び業種区分

(1)　第一種事業（卸売業）

　　アンティークの食器の事業者に対する売上高（令57⑤一・⑥）

　　他の者から購入した商品をその性質及び形状を変更しないで他の事業者に販売する事業は、第一種事業に該当する。

(2)　第二種事業（小売業）

　①　アンティークの食器の消費者に対する売上高

　　イ　他の者から購入した商品をその性質及び形状を変更しないで事業者以外の者に販売する事業は、第二種事業に該当する。（令57⑤二・⑥）

　　ロ　性質・形状を変更しない商品（基通13－2－2）

　　　商品に対する次のような行為は、「性質・形状を変更していない」に該当する。

　　　㋑　商標・ネーム等のはり付け、表示する行為

　　　㋺　運送の利便のために分解した組立式の家具を組み立てる行為

　　　㋩　2以上の商品を箱詰め（組合せ）する行為

　②　自動販売機による缶ジュースの売上高

　　自動販売機により資産の譲渡を行った場合には、事業者以外の者に対する販売に該当することから、仕入商品等を販売した場合には第二種事業に該当する。

　　また、飲食料品の譲渡であるため、軽減税率が適用される。

(3)　第三種事業（製造業等）

　①　甲社が製造した食器の売上高

　　イ　製造業は、第三種事業に該当する。（令57⑤三、基通13－2－4）

　　ロ　人格のない社団等は、法人とみなして消費税法を適用する。（法3）

　②　製品製造過程で生じた作業屑の売却代金

　　製造業等に伴い生じた加工くず、副産物等の譲渡は第三種事業に該当する。（基通13－2－8）

(4)　第四種事業（その他の事業）

　①　商品運搬用車両、土地付建物（建物部分）の売却及び製品製造用機械の下取り

　　イ　第一種事業、第二種事業、第三種事業、第五種事業及び第六種事業以外の事業は、第四種事業に該当する。（令57⑤六）

　　ロ　事業者が自己において使用していた固定資産等の譲渡を行う事業は、第四種事業に該当する。（基通13－2－9）

　　ハ　一括譲渡（令45③）

　　　事業者が課税資産と非課税資産とを同一の者に対して同時に譲渡した場合において、こ

れらの資産の譲渡対価の額が課税資産に係るものと非課税資産に係るものとに合理的に区分されていないときは、各資産の価額の割合に応じて課税標準を計算する。

② 事業の用に供していた車両運搬具の自社の役員に対する贈与（法4④、法28②）

法人が資産を自社の役員に対し贈与した場合におけるその贈与はみなし譲渡に該当する。

また、みなし譲渡があった場合の課税標準額に算入すべき金額は、下記のとおりである。

区　　　分	判　　　定	棚卸資産以外	棚　卸　資　産
低額譲渡	該当する	時　　　　　価	時　　　　　価
	該当しない	受　領　し　た　金　額	受　領　し　た　金　額
みなし譲渡	該当する	時　　　　　価	時価×50% 仕入価額※ 〕大

※ 製品の場合には、製造原価のうち課税仕入れからなる金額

(5) 第五種事業（サービス業等）

絵付け教室による売上高及び甲社本社の壁面広告料収入

運輸通信業、金融保険業及びサービス業（飲食店業を除く。）に該当する事業は、第五種事業に該当する。（令57⑤四、基通13－2－4）

(6) 第六種事業（不動産業）

① 更地の貸付け（貸付期間が20日間）

土地の貸付期間の判定（基通6－1－4）

非課税取引である土地の貸付けから除外される「貸付期間が1月未満の場合」とは、契約による貸付期間が1月に満たない場合を指す。

② ウィークリーマンションの賃貸料収入

旅館業法第2条第1項に規定する旅館、ホテル、貸別荘、ウィークリーマンション、リゾートマンション等の貸付けは、非課税とならない。また、非居住者に対してウィークリーマンションの1室を貸し付けているが、輸出免税等とはならない。

なお、旅館業は不動産業ではないため、第六種事業には該当しないことに注意する。

③ 賃貸マンション（事務所用）の賃貸料収入

イ 共益費とは、アパート、共同住宅などの共用部分（外灯、階段、廊下など）の維持のため各世帯ごとに拠出する費用をいう。「家賃」には、月決め等の家賃のほか、敷金、保証金、一時金等のうち返還しない部分及び共益費も含まれる。（基通6－13－9、基通10－1－14）

ロ 賃貸借契約の解除に伴い支払いを受ける金額は、逸失利益に対する損害賠償金に該当するため、課税の対象にはならない。（基通5－5－2）

問題9

解答

2 貸倒回収に係る消費税額

　貸倒回収に係る消費税額は、簡易課税制度の計算では「基礎税額」の計算で使用することに注意する。

3 売上げに係る対価の返還等の金額に係る消費税額

(1) 製品の売上げに係るもの（第三種事業）

(2) 商品の国内の事業者に対する売上げに係るもの（第一種事業）

(3) 商品の国内の消費者に対する売上げに係るもの（第二種事業）

　クリスマス特別セールによるキャッシュバックは売上げに係る対価の返還等に該当する。

(4) 製品の販売先である国内の事業者に対する販売奨励金（第三種事業）

　事業者が販売促進の目的で販売奨励金等の対象とされる課税資産の販売数量、販売高等に応じて取引先に対して金銭により支払う販売奨励金等は、売上げに係る対価の返還等に該当する。

4 貸倒れに係る消費税額の控除

　丙社から購入した債権の貸倒れ

　丙社からの債権の購入は、丙社の取引先に対する実質的な金銭の貸付けに該当する。したがって、当該債権（実質「貸付金」）が貸倒れても、税額控除は行わない。

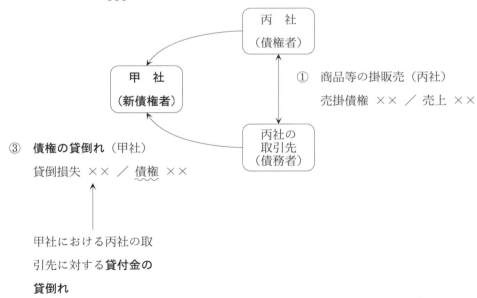

②　丙社の売掛債権を購入（甲社）

　債権 ×× ／ 現金預金 ××

　　　丙　社
　　　（債権者）

　甲　社
（新債権者）

①　商品等の掛販売（丙社）

　売掛債権 ×× ／ 売上 ××

　　丙社の
　　取引先
　　（債務者）

③　債権の貸倒れ（甲社）

　貸倒損失 ×× ／ 債権 ××

甲社における丙社の取引先に対する**貸付金の貸倒れ**

→ **税額控除の処理なし**

— 142 —

解 答

※　□で囲まれた数字は配点を示す。

Ⅰ　各課税期間の納税義務の有無の判定

計　算　過　程	（単位：円）
（1）　設立課税期間	

（1）　設立課税期間

①　基準期間及び特定期間なし

②　資本金　$7,000,000 < 10,000,000$ 2（特定新規設立法人に該当しない。）　∴　納税義務なし

（2）　前々課税期間

①　基準期間なし

②　前事業年度が短期事業年度であり、かつ、前々事業年度がないため、特定期間なし

③　資本金　$10,000,000 ≧ 10,000,000$ 2　　∴　納税義務あり

（3）　前課税期間

①　基準期間なし

②イ（イ）　$10,832,100 - 652,000 = 10,180,100$

　　　（ロ）　106,600

　　　（ハ）　（イ）－（ロ）＝$\underline{10,073,500} > 10,000,000$

　　ロ　$9,852,000 ≦ 10,000,000$（両方判定が合っていて 2）

③　資本金　$10,000,000 ≧ 10,000,000$ 2　　∴　納税義務あり

Ⅱ　当課税期間の簡易課税制度の適用の有無の判定

計　算　過　程	（単位：円）

（1）　届出書の提出あり

（2）①　$(10,832,100 - 652,000) + (28,069,700 - 459,400 - 4,418,200) \times \dfrac{100}{110} + 4,418,200$

　　　$= 35,682,027$

②　$106,600 + (1,253,600 - 113,500) \times \dfrac{100}{110} + 113,500 = 1,256,554$

③　①－②＝$\underline{34,425,473} ≦ 50,000,000$ 2

判定	㊲　・　無 いずれかに○をつけること

Ⅲ　課税標準額に対する消費税額の計算等

【課税標準額】

計　算　過　程　　　　　　　　　　　　　（単位：円）		
(1)　第一種		
10,256,250＋1,312,000＋<u>980,000</u>❷＝12,548,250		
(2)　第二種		
9,120,490		
(3)　第三種		
31,863,500＋29,336,200＋1,968,000＋<u>39,000</u>❷＝63,206,700		
(4)　第四種		
3,200,000＋<u>782,000</u>❷＋<u>380,000</u>❷＝4,362,000		
(5)　第五種		
<u>1,562,000</u>❷＋180,000＋<u>1,286,900</u>❷＋195,000＋<u>132,600</u>❷＝3,356,500		
(6)　第六種		
3,600,000＋<u>106,800</u>❷＋2,461,200＋<u>120,000</u>❷＝6,288,000		
(7)　合　計		
(1)＋(2)＋(3)＋(4)＋(5)＋(6)＝98,881,940		
$98,881,940 \times \dfrac{100}{110} = 89,892,672 \rightarrow 89,892,000$（千円未満切捨）	金額	89,892,000円

【課税標準額に対する消費税額】

計　算　過　程　　　　　（単位：円）	金額		
89,892,000×7.8％＝7,011,576		❷	7,011,576円

【貸倒回収に係る消費税額】

計　算　過　程　　　　　（単位：円）	金額		
$1,148,440 \times \dfrac{7.8}{110} = 81,434$		❷	81,434円

Ⅳ　仕入れに係る消費税額の計算等

【売上げに係る対価の返還等に係る消費税額】

計　算　過　程		（単位：円）
(1)　第一種　 　　$423,800 + 120,000 \times \dfrac{1,312,000}{3,280,000} = 471,800$		
(2)　第二種　 　　$56,800$		
(3)　第三種　 　　$1,985,360 + 120,000 \times \dfrac{1,968,000}{3,280,000} + 22,500 = 2,079,860$		
(4)　合　計　 　　$(1) + (2) + (3) = 2,608,460$		
$2,608,460 \times \dfrac{7.8}{110} = 184,963$	金 額	☑　　184,963円

【貸倒れに係る消費税額】

計　算　過　程　　　　（単位：円）		
$725,600 + 247,300 + 695,600 = 1,668,500$ $1,668,500 \times \dfrac{7.8}{110} = 118,311$	金 額	☑　　118,311円

【控除対象仕入税額】

計　算　過　程	（単位：円）
(1)　課税売上高 　①　第一種 　　　$12,548,250 \times \dfrac{100}{110} - 471,800 \times \dfrac{100}{110} = 10,978,591$ 　②　第二種 　　　$9,120,490 \times \dfrac{100}{110} - 56,800 \times \dfrac{100}{110} = 8,239,718$ 　③　第三種 　　　$63,206,700 \times \dfrac{100}{110} - 2,079,860 \times \dfrac{100}{110} = 55,569,855$ 　④　第四種 　　　$4,362,000 \times \dfrac{100}{110} = 3,965,454$ 　⑤　第五種 　　　$3,356,500 \times \dfrac{100}{110} = 3,051,363$	

【控除対象仕入税額】（続き）

計　算　過　程	（単位：円）

⑥　第六種

$$6,288,000 \times \frac{100}{110} = 5,716,363$$

⑦　合　計

①＋②＋③＋④＋⑤＋⑥＝87,521,344

(2) 消費税額

①　第一種

$$12,548,250 \times \frac{7.8}{110} - 471,800 \times \frac{7.8}{110} = 856,331$$

②　第二種

$$9,120,490 \times \frac{7.8}{110} - 56,800 \times \frac{7.8}{110} = \underline{642,698} \boxed{2}$$

③　第三種

$$63,206,700 \times \frac{7.8}{110} - 2,079,860 \times \frac{7.8}{110} = 4,334,449$$

④　第四種

$$4,362,000 \times \frac{7.8}{110} = 309,305$$

⑤　第五種

$$3,356,500 \times \frac{7.8}{110} = 238,006$$

⑥　第六種

$$6,288,000 \times \frac{7.8}{110} = 445,876$$

⑦　合　計

①＋②＋③＋④＋⑤＋⑥＝6,826,665

(3) 基礎税額（計算パターン $\boxed{2}$）

7,011,576＋81,434－184,963＝6,908,047

(4) 仕入税額

①　原　則

$$6,908,047 \times \frac{4,801,905 \text{※}}{6,826,665} \ (0.7034\cdots) = 4,859,149$$

　※　856,331×90％＋642,698×80％＋4,334,449×70％＋309,305×60％＋238,006×50％

　　＋445,876×40％＝$\underline{4,801,905}$ $\boxed{2}$

②　特　例

　イ　特定1事業（第三種）

$$\frac{55,569,855}{87,521,344} = 0.6349\cdots \underline{<75\%} \qquad \therefore \quad 適用なし \boxed{2}$$

【控除対象仕入税額】（続き）

計　算　過　程	（単位：円）
ロ　特定2事業 （イ）第一種と第三種 $\dfrac{10,978,591+55,569,855}{87,521,344}=0.7603\cdots\geqq75\%$　　∴　適用あり　② $6,908,047\times\dfrac{4,949,930※}{6,826,665}$　$(0.7250\cdots)=5,008,939$ 　　※　$856,331\times90\%+(6,826,665-856,331)\times70\%=4,949,930$ （ロ）第二種と第三種 $\dfrac{8,239,718+55,569,855}{87,521,344}=0.7290\cdots<75\%$　　∴　適用なし 　＊　その他の特例については、明らかに不利であるため判定省略	

		金額	
（5）判　定 　　（4）②ロ（イ）＞（4）①　　∴　5,008,939		金額	5,008,939円

V　差引税額の計算

計　算　過　程　　　（単位：円）	金額	
$7,011,576+81,434-(5,008,939+184,963+118,311)$ $=1,780,797\rightarrow1,780,700$（百円未満切捨）	金額	1,780,700円

VI　中間納付税額の計算

計　算　過　程	（単位：円）
（1）一　月 ①　4月～8月（更正前） 　　$\dfrac{830,700}{12}=69,225\leqq4,000,000$　　∴　適用なし ②　9月～2月（更正後） 　　$\dfrac{830,700-19,200}{12}=67,625\leqq4,000,000$　　∴　適用なし （2）三　月 ①　4月～6月（更正前） 　　$\dfrac{830,700}{12}\times3=207,675\leqq1,000,000$　　∴　適用なし ②　7月～9月、10月～12月（更正後） 　　$\dfrac{830,700-19,200}{12}\times3=202,875\leqq1,000,000$　　∴　適用なし （3）六　月 ①　$\dfrac{830,700-19,200}{12}\times6=405,750>240,000$　　∴　適用あり	

		金額		
②　405,700（百円未満切捨）		金額	②	405,700円

Ⅶ　納付税額の計算

計　算　過　程　　　（単位：円）	金額	
1,780,700－405,700＝1,375,000		② 1,375,000円

【配　点】　②×25カ所　　合計50点

1　納税義務の有無の判定及び簡易課税制度の適用の有無の判定

(1) 設立課税期間

　　基準期間及び特定期間がなく、期首資本金が1,000万円未満であるため、免税事業者となる。

　　なお、問題文指示により、特定新規設立法人に該当しない。

(2) 前々課税期間

　　基準期間及び特定期間※がなく、期首資本金が1,000万円以上であるため、課税事業者となる。

　　※　前事業年度が短期事業年度（6月≦7月）であり、かつ、前々事業年度がないため、特定期間なし。

(3) 前課税期間

　① 基準期間なし。（②へ）

　② 前事業年度が短期事業年度（6月≦7月）であるため、特定期間は設立事業年度（6月）の期間となる。

　　　特定期間における課税売上高は1,000万円を超えるが、支払給与等の金額が1,000万円以下となるため、③へ。

　　　なお、設立事業年度は、免税事業者となるため税抜修正不要となる。

　③ 期首資本金が1,000万円以上であるため、課税事業者となる。

(4) 当課税期間

　　前々事業年度が1年未満（6月）であるため、基準期間はその事業年度開始の日（R07.4/1）の2年前の日の前日（R05.4/1）から1年を経過する日（R06.3/31）までの間に開始した各事業年度（設立事業年度及び前々事業年度）を合わせた期間となる。

　　基準期間における課税売上高の計算にあっては、基準期間が1年であるため年換算は不要となる点に注意すること。

2　課税標準及び事業区分

(1) 第一種事業（卸売業）

　① 商品の国内の取引先である事業者に対する売上高

② 　商品の国内の得意先A社に対する売上高

③ 　代物弁済（令45②一）

　　代物弁済による資産の譲渡があった場合には、その代物弁済により消滅する債務の額（譲渡される資産の価額が債務の額を超える額に相当する金額につき支払を受ける場合は、その金額を加算した金額）に相当する金額がその対価の額となる。

(2) 第二種事業（小売業）

　商品の国内店舗における消費者に対する売上高

　他の者から購入した商品をその性質及び形状を変更しないで事業者以外の者に販売する事業は、第二種事業に該当する。（令57⑤二・⑥）

　　「2以上の商品を箱詰め（組合せ）する行為」は、性質・形状を変更しないで販売する商品に該当する。（基通13-2-2）

(3) 第三種事業（製造業等）

　製造業は、第三種事業に該当する。（令57⑤三、基通13-2-4）

① 　製品の売上高

② 　製品の国内の得意先A社に対する売上高

③ 　損害賠償金（基通5-2-5）

　　損害賠償金のうち、心身又は資産につき加えられた損害の発生に伴い受けるものは、資産の譲渡等の対価に該当しないが、例えば、次に掲げる損害賠償金のように、その実質が資産の譲渡等の対価に該当すると認められるものは資産の譲渡等の対価に該当する。

　　イ　損害を受けた棚卸資産等が加害者に引き渡される場合で、その棚卸資産等がそのまま又は軽微な修理を加えることにより使用できるときにその加害者から収受する損害賠償金

　　ロ　無体財産権の侵害を受けたことにより収受する損害賠償金

　　ハ　不動産等の明渡し遅滞により収受する損害賠償金

　　　本問における製品の運送中の事故に伴い受ける損害賠償金は、上記イに該当し、課税の対象となる。

(4) 第四種事業（その他の事業）

① 　固定資産等（ゴルフ場利用株式、配送用自動車）の売却（基通13-2-9）

　　事業者が自己において使用していた固定資産等の譲渡を行う事業は、第四種事業に該当する。

② 美術品のみなし譲渡（法4⑤、法28③、基通10-1-18）

法人が資産を自社の役員に対し贈与した場合におけるその贈与はみなし譲渡に該当する。

また、みなし譲渡があった場合の課税標準額に算入すべき金額は、下記のとおりである。

区　　　　分	判　　　　定	棚卸資産以外	棚　卸　資　産
みなし譲渡	該 当 す る	時　　価	時価×50% 仕入価額※ } 大

※　製品の場合には、製造原価のうち課税仕入れからなる金額

本問の役員に対する美術品の贈与は、事業用固定資産等の譲渡とみなされ、第四種事業に該当する。

(5) 第五種事業（サービス業等）

配送料収入（基通10-1-16）

事業者が、課税資産の譲渡等に係る相手先から、他の者に委託する配送等に係る料金を課税資産の譲渡の対価の額と明確に区分して収受し、その料金を預り金又は仮受金等として処理している場合の、その料金は、その事業者における課税資産の譲渡等の対価の額に含めないものとして差し支えない。

本問においては、甲社が配送を行い、配送料を預り金又は仮受金等として処理していないことから、課税資産の譲渡等の対価の額に含める。

(6) 第六種事業（不動産業）

① テナントビル収入、水道光熱費収入及び立体駐車場利用料収入

不動産業（売買を除く。）に該当する事業は、第六種事業に該当する。（令57⑤四、基通13-2-4）

② 1月未満の土地の貸付け（基通6-1-4）

契約による土地の貸付期間が1月に満たない場合には、非課税取引となる土地の貸付けから除かれている。したがって、本問における2週間の土地の貸付けは、7.8%課税取引に該当する。

(7) その他

販売奨励金収入

国内の仕入先から金銭により支払いを受けた販売奨励金は、仕入れに係る対価の返還等に該当する。したがって、簡易課税の計算では使用しない。

3　貸倒回収に係る消費税額

販売時において課税事業者であったことから、その時に行った製品の売上に係る債権について貸倒回収に係る消費税額の調整がある。また、貸倒回収に係る消費税額は、簡易課税制度の計算では「基礎税額」の計算で使用することに注意する。

—151—

4　売上げに係る対価の返還等の金額に係る消費税額

　　国内の得意先Ａ社に対する売上高に係るもの（基通13-2-10）

　　国内の得意先Ａ社に対する売上高に関するものとして一括計上されている値引きは、当該値引きの計算根拠となった課税売上げ等の割合により合理的に按分して計算することとなる。

5　貸倒れに係る消費税額の控除

　　本体価格に相当する額の貸倒れは、課税資産の譲渡等の税込価額の一部の領収をすることができなくなったのであるから税額控除を行う。

6　中間申告

　　中間申告の有無は、原則として各中間申告対象期間の末日において確定した前課税期間の確定消費税額（差引税額）を基に行う。

　　本問においては、令和７年９月25日に更正処分を受けていることから、更正後は、減少後の税額を基に判定を行わなければならない。

【図解】

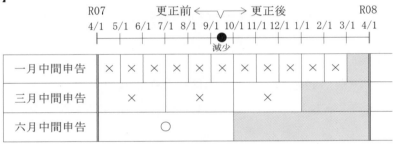

税理士受験シリーズ

2025年度版　26　消費税法　総合計算問題集　基礎編

（平成20年度版　2007年10月1日　初版　第1刷発行）

2024年10月3日　初　版　第1刷発行

編 著 者	Ｔ Ａ Ｃ 株 式 会 社
	（税理士講座）
発 行 者	多　田　敏　男
発 行 所	Ｔ Ａ Ｃ 株 式 会 社　出版事業部
	（ＴＡＣ出版）

〒101-8383
東京都千代田区神田三崎町3-2-18
電話 03 (5276) 9492（営業）
ＦＡＸ 03 (5276) 9674
https://shuppan.tac-school.co.jp

| 印　　刷 | 株式会社　ワ　コ　ー |
| 製　　本 | 株式会社　常　川　製　本 |

© TAC 2024　　Printed in Japan

ISBN 978-4-300-11326-4
N.D.C.　336

「税理士」の扉を開くカギ

それは、合格できる教育機関を決めること!

あなたが教育機関を決める最大の決め手は何ですか?
通いやすさ、受講料、評判、規模、いろいろと検討事項はありますが、一番の決め手となること、それは「合格できるか」です。
TACは、税理士講座開講以来今日までの40年以上、「受講生を合格に導く」ことを常に考え続けてきました。そして、「最小の努力で最大の効果を発揮する、良質なコンテンツの提供」をもって多数の合格者を輩出し、今も厚い信頼と支持をいただいております。

令和5年度 税理士試験
TAC 合格祝賀パーティー

東京会場　ホテルニューオータニ

合格者から「喜びの声」を多数お寄せいただいています。

https://www.tac-school.co.jp/kouza_zeiri/zeiri_jisseki.html

税理士講座のご案内

2025年合格目標コース

反復学習でインプット強化! & 豊富な演習量で実践力強化!

対象者：初学者／次の科目の学習に進む方

2024年				2025年							
9月	10月	11月	12月	1月	2月	3月	4月	5月	6月	7月	8月

9月入学 基礎マスター + 上級コース（簿記・財表・相続・消費・酒税・固定・事業・国徴）
3回転学習！年内はインプットを強化、年明けは演習機会を増やして実践力を鍛える！
※簿記・財表は5月・7月・8月・10月入学コースもご用意しています。

9月入学 ベーシックコース（法人・所得）
2回転学習！週2ペース、8ヵ月かけてインプットを鍛える！

9月入学 年内完結 + 上級コース（法人・所得）
3回転学習！年内はインプットを強化、年明けは演習機会を増やして実践力を鍛える！

12月・1月入学　速修コース（全11科目）
7ヵ月〜8ヵ月間で合格レベルまで仕上げる！

3月入学　速修コース（消費・酒税・固定・国徴）
短期集中で税法合格を目指す！

税理士試験

対象者：受験経験者（受験した科目を再度学習する場合）

2024年				2025年							
9月	10月	11月	12月	1月	2月	3月	4月	5月	6月	7月	8月

9月入学　年内上級講義 + 上級コース（簿記・財表）
年内に基礎・応用項目の再確認を行い、実力を引き上げる！

9月入学　年内上級演習 + 上級コース（法人・所得・相続・消費）
年内から問題演習に取り組み、本試験時の実力維持・向上を図る！

12月入学　上級コース（全10科目）
※住民税の開講はございません
講義と演習を交互に実施し、答案作成力を養成！

税理士試験

※2024年7月12日時点の情報です。最新の情報は、TAC税理士講座ホームページをご確認ください。

"入学前サポート"を活用しよう!

無料セミナー ＆個別受講相談

無料セミナーでは、税理士の魅力、試験制度、
科目選択の方法や合格のポイントをお伝えして
いきます。セミナー終了後は、個別受講相談で
みなさんの疑問や不安を解消します。

TAC 税理士 セミナー　検索

https://www.tac-school.co.jp/kouza_zeiri/zeiri_gd_gd.htm

無料Webセミナー

TAC動画チャンネルでは、校舎で開催している
セミナーのほか、Web限定のセミナーも多数
配信しています。受講前にご活用ください。

TAC 税理士 動画　検索

https://www.tac-school.co.jp/kouza_zeiri/tacchannel.html

体験入学

教室講座開講日（初回講義）は、お申込み前で
も無料で講義を体験できます。講師の熱意や校
舎の雰囲気を是非体感してください。

TAC 税理士 体験　検索

https://www.tac-school.co.jp/kouza_zeiri/zeiri_gd_gd.htm

税理士11科目 Web体験

「税理士11科目Web体験」では、TAC税理士講
座で開講する各科目・コースの初回講義をWeb視
聴いただけるサービスです。講義の分かりやすさを
確認いただき、学習のイメージを膨らませてください。

TAC 税理士　検索

https://www.tac-school.co.jp/kouza_zeiri/taiken_form.html

チャレンジコース

受験経験者・独学生待望のコース!

4月上旬開講!

開講科目	簿記・財表・法人 所得・相続・消費

基礎知識の底上げ **徹底した本試験対策**

チャレンジ講義 ＋ チャレンジ演習 ＋ 直前対策講座 ＋ 全国公開模試

受験経験者・独学生向けカリキュラムが一つのコースに!

※チャレンジコースには直前対策講座（全国公開模試含む）が含まれています。

直前対策講座

5月上旬開講!

本試験突破の最終仕上げ!

直前期に必要な対策が
すべて揃っています!

学習 メディア	教室講座・ビデオブース講座 Web通信講座・DVD通信講座・資料通信講座

＼ 全11科目対応 ／

開講科目	簿記・財表・法人・所得・相続・消費 酒税・固定・事業・住民・国徴

徹底分析!「試験委員対策」

即時対応!「税制改正」

毎年的中!「予想答練」

※直前対策講座には全国公開模試が含まれています。

チャレンジコース・直前対策講座ともに詳しくは2月下旬発刊予定の
「チャレンジコース・直前対策講座パンフレット」をご覧ください。

会計業界への就職・転職支援サービス

TPB

TACの100%出資子会社であるTACプロフェッションバンク（TPB）は、会計・税務分野に特化した転職エージェントです。勉強された知識とご希望に合ったお仕事を一緒に探しませんか？ 相談だけでも大歓迎です！ どうぞお気軽にご利用ください。

人材コンサルタントが無料でサポート

Step1 相談受付
完全予約制です。HPからご登録いただくか、各オフィスまでお電話ください。

Step2 面談
ご経験やご希望をお聞かせください。あなたの将来について一緒に考えましょう。

Step3 情報提供
ご希望に適うお仕事があれば、その場でご紹介します。強制はいたしませんのでご安心ください。

正社員で働く

- 安定した収入を得たい
- キャリアプランについて相談したい
- 面接日程や入社時期などの調整をしてほしい
- 今就職すべきか、勉強を優先すべきか迷っている
- 職場の雰囲気など、求人票でわからない情報がほしい

TACキャリアエージェント

https://tacnavi.com/

派遣で働く（関東のみ）

- 勉強を優先して働きたい
- 将来のために実務経験を積んでおきたい
- まずは色々な職場や職種を経験したい
- 家庭との両立を第一に考えたい
- 就業環境を確認してから正社員で働きたい

TACの経理・会計派遣

https://tacnavi.com/haken/

※ご経験やご希望内容によってはご支援が難しい場合がございます。予めご了承ください。　※面談時間は原則お一人様30分とさせていただきます。

自分のペースでじっくりチョイス

アルバイト・正社員で働く

- 自分の好きなタイミングで就職活動をしたい
- どんな求人案件があるのか見たい
- 企業からのスカウトを待ちたい
- WEB上で応募管理をしたい

Webで

▶

TACキャリアナビ

https://tacnavi.com/kyujin/

就職・転職・派遣就労の強制は一切いたしません。会計業界への就職・転職を希望される方への無料支援サービスです。どうぞお気軽にお問い合わせください。

 TACプロフェッションバンク

- 有料職業紹介事業 許可番号13-ユ-010678　●一般労働者派遣事業 許可番号（派）13-010932
- 特定募集情報等提供事業 届出受理番号51-募-000541

東京オフィス
〒101-0051
東京都千代田区神田神保町 1-103
東京パークタワー 2F
TEL.03-3518-6775

大阪オフィス
〒530-0013
大阪府大阪市北区茶屋町 6-20
吉田茶屋町ビル 5F
TEL.06-6371-5851

名古屋 登録会場
〒453-0014
愛知県名古屋市中村区則武 1-1-7
NEWNO 名古屋駅西 8F
TEL.0120-757-655

プライバシー
10860572

TAC出版 書籍のご案内

TAC出版では、資格の学校TAC各講座の定評ある執筆陣による資格試験の参考書をはじめ、資格取得者の開業法や仕事術、実務書、ビジネス書、一般書などを発行しています！

TAC出版の書籍

*一部書籍は、早稲田経営出版のブランドにて刊行しております。

資格・検定試験の受験対策書籍

- 日商簿記検定
- 建設業経理士
- 全経簿記上級
- 税理士
- 公認会計士
- 社会保険労務士
- 中小企業診断士
- 証券アナリスト

- ファイナンシャルプランナー(FP)
- 証券外務員
- 貸金業務取扱主任者
- 不動産鑑定士
- 宅地建物取引士
- 賃貸不動産経営管理士
- マンション管理士
- 管理業務主任者

- 司法書士
- 行政書士
- 司法試験
- 弁理士
- 公務員試験(大卒程度・高卒者)
- 情報処理試験
- 介護福祉士
- ケアマネジャー
- 電験三種　ほか

実務書・ビジネス書

- 会計実務、税法、税務、経理
- 総務、労務、人事
- ビジネススキル、マナー、就職、自己啓発
- 資格取得者の開業法、仕事術、営業術

一般書・エンタメ書

- ファッション
- エッセイ、レシピ
- スポーツ
- 旅行ガイド (おとな旅プレミアム/旅コン)

2025年度版 税理士試験対策書籍のご案内

TAC出版では、独学用、およびスクール学習の副教材として、各種対策書籍を取り揃えています。学習の各段階に対応していますので、あなたのステップに応じて、合格に向けてご活用ください!

（刊行内容、発行月、装丁等は変更することがあります）

●2025年度版 税理士受験シリーズ

税理士試験において長い実績を誇るTAC。このTACが長年培ってきた合格ノウハウを"TAC方式"としてまとめたのがこの「税理士受験シリーズ」です。近年の豊富なデータをもとに傾向を分析、科目ごとに最適な内容としているので、トレーニング演習に欠かせないアイテムです。

消費税法

固定資産税

事業税

住民税

国税徴収法

※暗記音声はダウンロード商品です。TAC出版書籍販売サイト「サイバーブックストア」にてご購入いただけます。

●2025年度版 みんなが欲しかった！税理士 教科書＆問題集シリーズ

効率的に税理士試験対策の学習ができないか？ これを突き詰めてできあがったのが、「みんなが欲しかった！税理士 教科書＆問題集シリーズ」です。必要十分な内容をわかりやすくまとめたテキスト（教科書）と内容確認のためのトレーニング（問題集）が1冊になっているので、効率的な学習に最適です。

●解き方学習用問題集

現役講師の解答手順、思考過程、実際の書込みなど、㊙テクニックを完全公開した書籍です。

●その他関連書籍

好評発売中！

TACの書籍は こちらの方法でご購入 いただけます

1 全国の書店・大学生協　　**2** TAC各校 書籍コーナー

3 CYBER TAC出版書籍販売サイト **BOOK STORE** アドレス https://bookstore.tac-school.co.jp/

・2024年7月現在　・年度版各巻の価格は、決定しだい上記 **3** のサイバーブックストアに掲載されますのでご参照ください

書籍の正誤に関するご確認とお問合せについて

書籍の記載内容に誤りではないかと思われる箇所がございましたら、以下の手順にてご確認とお問合せをしてくださいますよう、お願い申し上げます。

なお、正誤のお問合せ以外の**書籍内容に関する解説および受験指導などは、一切行っておりません。**
そのようなお問合せにつきましては、お答えいたしかねますので、あらかじめご了承ください。

1 「Cyber Book Store」にて正誤表を確認する

TAC出版書籍販売サイト「Cyber Book Store」の
トップページ内「正誤表」コーナーにて、正誤表をご確認ください。

CYBER TAC出版書籍販売サイト
BOOK STORE

URL:https://bookstore.tac-school.co.jp/

2 1の正誤表がない、あるいは正誤表に該当箇所の記載がない
⇒ 下記①、②のどちらかの方法で文書にて問合せをする

★ご注意ください★

お電話でのお問合せは、お受けいたしません。
①、②のどちらの方法でも、お問合せの際には、「お名前」とともに、
「対象の書籍名（○級・第○回対策も含む）およびその版数（第○版・○○年度版など）」
「お問合せ該当箇所の頁数と行数」
「誤りと思われる記載」
「正しいとお考えになる記載とその根拠」
を明記してください。
なお、回答までに1週間前後を要する場合もございます。あらかじめご了承ください。

① ウェブページ「Cyber Book Store」内の「お問合せフォーム」より問合せをする

【お問合せフォームアドレス】

https://bookstore.tac-school.co.jp/inquiry/

② メールにより問合せをする

【メール宛先　TAC出版】

syuppan-h@tac-school.co.jp

※土日祝日はお問合せ対応をおこなっておりません。
※正誤のお問合せ対応は、該当書籍の改訂版刊行月末日までといたします。

乱丁・落丁による交換は、該当書籍の改訂版刊行月末日までといたします。なお、書籍の在庫状況等により、お受けできない場合もございます。
また、各種本試験の実施の延期、中止を理由とした本書の返品はお受けいたしません。返金もいたしかねますので、あらかじめご了承くださいますようお願い申し上げます。

（2022年7月現在）

答案用紙の使い方

この冊子には、答案用紙がとじ込まれています。下記を参照にご利用ください。

STEP1

一番外側の色紙（本紙）を残して、答案用紙の冊子を取り外してください。

冊子を取り外す

STEP2

取り外した冊子の真ん中にあるホチキスの針は取り外さず、冊子のままご利用ください。

● 作業中のケガには十分お気をつけください。
● 取り外しの際の損傷についてのお取り替えはご遠慮願います。

答案用紙はダウンロードもご利用いただけます。
TAC出版書籍販売サイト、サイバーブックストアにアクセスしてください。

| TAC出版 | 検索 |

税理士受験シリーズ㉖
消費税法　総合計算問題集　基礎編

別 冊 答 案 用 紙

目　　次

| 問題１ | ＜答案用紙＞ | 解答時間 | ／40分 | 自己採点 | ／50点 |

Ⅰ　課税標準額に対する消費税額の計算等

【課税標準額】

計　算　過　程	（単位：円）
金額	円

【課税標準額に対する消費税額】

計　算　過　程　（単位：円）	金額	円

【控除過大調整税額】

計　算　過　程　（単位：円）	金額	円

Ⅱ　仕入れに係る消費税額の計算等

【課税売上割合】

計　算　過　程	（単位：円）
割合	円 ———— 円

【控除対象仕入税額】

計　算　過　程	（単位：円）
（1）課税仕入れ等の区分 　①　課税資産の譲渡等にのみ要するもの 　②　その他の資産の譲渡等にのみ要するもの 　③　共通して要するもの 　④　合　計 　　　　　　　　　　　　　　　　　　　　　　　次ページへ続く	

【控除対象仕入税額】（続き）

計　算　過　程　　　　　　　　（単位：円）
(2) 個別対応方式
(3) 一括比例配分方式
(4) 判　定

	金額	円

【売上げに係る対価の返還等に係る消費税額】

計　算　過　程　　　（単位：円）	金額	円

【貸倒れに係る消費税額】

計　算　過　程　　　（単位：円）	金額	円

Ⅲ　納付税額の計算

計　算　過　程　　　　　　　　（単位：円）
(1) 差引税額
(2) 納付税額

	金額	円

| 問題２ | ＜答案用紙＞ | 解答時間 | ／50分 | 自己採点 | ／50点 |

I　基準期間における課税売上高

計　算　過　程	（単位：円）
金額	円

II　課税標準額に対する消費税額の計算等

【課税標準額】

計　算　過　程	（単位：円）
金額	円

【課税標準額に対する消費税額】

計　算　過　程　　（単位：円）	金額	円

【控除過大調整税額】

計　算　過　程　　（単位：円）	金額	円

Ⅲ 仕入れに係る消費税額の計算等

【課税売上割合】

計　算　過　程	（単位：円）

割合	円
	円

【控除対象仕入税額】

計　算　過　程	（単位：円）
(1) 課税仕入れ等の区分	
① 課税資産の譲渡等にのみ要するもの	

次ページへ続く

【控除対象仕入税額】（続き）

計　　算　　過　　程	（単位：円）
②　その他の資産の譲渡等にのみ要するもの	
③　共通して要するもの	
④　合　計	
(2)　個別対応方式	
	次ページへ続く

【控除対象仕入税額】（続き）

計　算　過　程　（単位：円）	
(3) 一括比例配分方式 (4) 判　定	
	金額　　　　　　　円

【売上げに係る対価の返還等に係る消費税額】

計　算　過　程　（単位：円）	金額　　　　　円

【貸倒れに係る消費税額】

計　算　過　程　（単位：円）	金額　　　　　円

Ⅳ　納付税額の計算

計　算　過　程　（単位：円）	
(1) 差引税額 (2) 納付税額	
	金額　　　　　　　円

問題３	＜答案用紙＞	解答時間	／50分	自己採点	／50点

Ⅰ 基準期間における課税売上高

計 算 過 程	（単位：円）
	金額 ◻円

Ⅱ 課税標準額に対する消費税額の計算等

【課税標準額】

計 算 過 程	（単位：円）
	金額 ◻円

【課税標準額に対する消費税額】

計 算 過 程 （単位：円）	金額	円

Ⅲ 仕入れに係る消費税額の計算等

【課税売上割合】

計 算 過 程	（単位：円）

割合	＿＿＿＿＿＿＿円 円

【控除対象仕入税額】

計 算 過 程	（単位：円）

次ページへ続く

【控除対象仕入税額】（続き）

計　算　過　程	（単位：円）

次ページへ続く

【控除対象仕入税額】（続き）

計　算　過　程　　　　　　　（単位：円）
〔調整対象固定資産に係る控除税額の調整の計算〕

〔控除対象仕入税額の計算〕	金額	円

【売上げに係る対価の返還等に係る消費税額】

計　算　過　程　　　　　　（単位：円）		
	金額	円

【貸倒れに係る消費税額】

計　算　過　程　　　　　　（単位：円）		
	金額	円

Ⅳ　差引税額の計算

計　算　過　程　　　　　　（単位：円）		
	金額	円

Ⅴ　納付税額の計算

計　算　過　程　　　　　　（単位：円）		
	金額	円

| 問題4 | ＜答案用紙＞ | 解答時間 | ／65分 | 自己採点 | ／50点 |

Ⅰ 課税標準額に対する消費税額の計算等

【課税標準額】

計 算 過 程	（単位：円）
	金額 　　　円

【課税標準額に対する消費税額】

計 算 過 程 （単位：円）	金額	円

Ⅱ 仕入れに係る消費税額の計算等

【課税売上割合】

計 算 過 程	（単位：円）

割合	円
	円

【控除対象仕入税額】

計 算 過 程	（単位：円）

(1) 課税仕入れ等の区分

　① 課税資産の譲渡等にのみ要するもの

　② その他の資産の譲渡等にのみ要するもの

次ページへ続く

【控除対象仕入税額】（続き）

計　算　過　程	（単位：円）

③　共通して要するもの

④　合　計

(2)　個別対応方式

(3)　一括比例配分方式

(4)　判　定

【控除対象仕入税額】（続き）

計　算　過　程	（単位：円）
〔調整対象固定資産に係る控除税額の調整の計算〕	
	次ページへ続く

【控除対象仕入税額】(続き)

計　算　過　程	（単位：円）
〔控除対象仕入税額の計算〕	金額
	円

【売上げに係る対価の返還等に係る消費税額】

計　算　過　程	（単位：円）		
		金額	円

【貸倒れに係る消費税額】

計　算　過　程	（単位：円）		
		金額	円

Ⅲ　差引税額の計算

計　算　過　程	（単位：円）		
		金額	円

Ⅳ　納付税額の計算

計　算　過　程	（単位：円）		
		金額	円

問題5	＜答案用紙＞	解答時間	／55分	自己採点	／50点

Ⅰ　基準期間における課税売上高

計　算　過　程	（単位：円）
金額	円

Ⅱ　課税標準額に対する消費税額等の計算

【課税標準額】

計　算　過　程	（単位：円）
金額	円

【課税標準額に対する消費税額】

計　算　過　程　（単位：円）	金額	円

Ⅲ 仕入れに係る消費税額の計算等

【課税売上割合】

計 算 過 程	（単位：円）

割合	円
	円

【控除対象仕入税額】

計 算 過 程	（単位：円）

次ページへ続く

【控除対象仕入税額】（続き）

計　算　過　程	（単位：円）

次ページへ続く

【控除対象仕入税額】（続き）

計　算　過　程　　　　　　　　　（単位：円）

	金額	円

【売上げの返還等対価に係る消費税額】

計　算　過　程　　　（単位：円）	金額	円

【貸倒れに係る消費税額】

計　算　過　程　　　（単位：円）	金額	円

Ⅳ　差引税額の計算

計　算　過　程　　　（単位：円）)	金額	円

Ⅴ　納付税額の計算

計　算　過　程　　　（単位：円）	金額	円

| 問題6 | ＜答案用紙＞ | 解答
時間 | ／50分 | 自己
採点 | ／50点 |

Ⅰ　課税標準額に対する消費税額の計算等

【課税標準額】

計　算　過　程	（単位：円）

	金 額	円

【課税標準額に対する消費税額】

計　算　過　程　（単位：円）	金 額	円

Ⅱ　仕入れに係る消費税額の計算等

【課税売上割合】

計　算　過　程	（単位：円）
	次ページへ続く

【課税売上割合】（続き）

計　算　過　程	（単位：円）

割合	円
	円

【控除対象仕入税額】

計　算　過　程	（単位：円）

次ページへ続く

【控除対象仕入税額】（続き）

計　算　過　程　　　　　　　　　　（単位：円）

次ページへ続く

【控除対象仕入税額】（続き）

計　算　過　程		（単位：円）
〔調整対象固定資産に係る控除税額の調整の計算等〕		
〔控除対象仕入税額の計算〕	金額	円

【売上げに係る対価の返還等に係る消費税額】

計　算　過　程　　　（単位：円）	金額	円

【貸倒れに係る消費税額】

計　算　過　程　　　（単位：円）	金額	円

Ⅲ　納付税額の計算

計　算　過　程		（単位：円）
(1)　差引税額		
(2)　中間納付税額		
(3)　納付税額		
	金額	円

| 問題7 | ＜答案用紙＞ | 解答時間 | ／65分 | 自己採点 | ／50点 |

Ⅰ 課税標準額に対する消費税額の計算等

【課税標準額】

計　算　過　程	（単位：円）
金額	円

【課税標準額に対する消費税額】

計　算　過　程　　　（単位：円）	金額	円

【控除過大調整税額】

計　算　過　程　　　（単位：円）	金額	円

Ⅱ　仕入れに係る消費税額の計算等

【課税売上割合】

計　算　過　程		（単位：円）
	割 合	＿＿＿＿＿＿＿円 円

【控除対象仕入税額】

計　算　過　程	（単位：円）

次ページへ続く

【控除対象仕入税額】（続き）

計　算　過　程	（単位：円）

次ページへ続く

【控除対象仕入税額】（続き）

計　　算　　過　　程	（単位：円）

〔調整対象固定資産に係る控除税額の調整の計算等〕

次ページへ続く

【控除対象仕入税額】（続き）

計　算　過　程		（単位：円）
〔控除対象仕入税額の計算〕	金額	円

【売上げに係る対価の返還等に係る消費税額】

計 算 過 程 （単位：円）	金額	
		円

【貸倒れに係る消費税額】

計 算 過 程 （単位：円）	金額	
		円

Ⅲ 差引税額の計算

計 算 過 程 （単位：円）	金額	
		円

Ⅳ 納付税額の計算

計 算 過 程 （単位：円）	金額	
		円

| 問題8 | ＜答案用紙＞ | 解答時間 | ／55分 | 自己採点 | ／50点 |

I 課税標準額に対する消費税額の計算等

【課税標準額】

計 算 過 程 （単位：円）
金額	円

【課税標準額に対する消費税額】

計 算 過 程 （単位：円）	金額	円

【控除過大調整税額】

計 算 過 程 （単位：円）	金額	円

Ⅱ　仕入れに係る消費税額の計算等

【課税売上割合】

計　算　過　程	（単位：円）

割合	円
	円

【控除対象仕入税額】

計　算　過　程	（単位：円）

次ページへ続く

【控除対象仕入税額】（続き）

計　算　過　程　　　　　　　　　　（単位：円）

次ページへ続く

【控除対象仕入税額】（続き）

計　算　過　程 （単位：円）		
〔調整対象固定資産に係る控除税額の調整の計算等〕 		
〔控除対象仕入税額の計算〕	金額	円

【売上げに係る対価の返還等に係る消費税額】

計　算　過　程 （単位：円）		
	金額	円

【貸倒れに係る消費税額】

計　算　過　程 （単位：円）		
	金額	円

【控除税額小計】

計　算　過　程　　　　　　　（単位：円）	金額	円

Ⅲ　差引税額又は控除不足還付税額の計算

計　算　過　程　　　　　　　（単位：円）	金額	差引税額
		円
		控除不足還付税額
		円

Ⅳ　中間納付税額の計算

計　算　過　程　　　　　　　　　　　　（単位：円）		
	金額	円

Ⅴ　納付税額又は中間納付還付税額の計算

計　算　過　程　　　　　（単位：円）	金額	納付税額
		円
		中間納付還付税額
		円

問題９	＜答案用紙＞	解答時間	／40分	自己採点	／50点

I　簡易課税制度の適用の有無の判定

計　算　過　程	（単位：円）

判定	有　・　無 いずれかに○をつけること

II　課税標準額に対する消費税額の計算等

【課税標準額】

計　算　過　程	（単位：円）

次ページへ続く

【課税標準額】（続き）

計　算　過　程		（単位：円）
	金額	円

【課税標準額に対する消費税額】

計　算　過　程	（単位：円）	金額	
			円

【貸倒回収に係る消費税額】

計　算　過　程	（単位：円）	金額	
			円

Ⅲ　仕入れに係る消費税額の計算等

【売上げに係る対価の返還等に係る消費税額】

計　算　過　程		（単位：円）
	金額	円

【貸倒れに係る消費税額】

計　算　過　程	（単位：円）	金額	
			円

【控除対象仕入税額】

計　算　過　程	（単位：円）

次ページへ続く

【控除対象仕入税額】（続き）

計　算　過　程	（単位：円）

金額	円

Ⅳ　差引税額の計算

計　算　過　程　　　　（単位：円）	金額	円

Ⅴ　中間納付税額の計算

計　算　過　程　　　　　　　　　　　　　（単位：円）		
	金額	円

Ⅵ　納付税額の計算

計　算　過　程　　　　（単位：円）	金額	円

問題10	＜答案用紙＞	解答時間	／50分	自己採点	／50点

Ⅰ　各課税期間の納税義務の有無の判定

計　算　過　程　（単位：円）

(1) 設立課税期間

(2) 前々課税期間

(3) 前課税期間

Ⅱ　当課税期間の簡易課税制度の適用の有無の判定

計　算　過　程　（単位：円）

判定	有　・　無 いずれかに○をつけること

Ⅲ 課税標準額に対する消費税額の計算等

【課税標準額】

計 算 過 程	(単位：円)
	金額 円

【課税標準額に対する消費税額】

計 算 過 程 （単位：円）	金額	円

【貸倒回収に係る消費税額】

計 算 過 程 （単位：円）	金額	円

Ⅳ 仕入れに係る消費税額の計算等

【売上げに係る対価の返還等に係る消費税額】

計 算 過 程	（単位：円）
	金額 　　　　　　　　　　　　円

【貸倒れに係る消費税額】

計 算 過 程 　　　（単位：円）	金額	円

【控除対象仕入税額】

計 算 過 程	（単位：円）

次ページへ続く

【控除対象仕入税額】（続き）

計　算　過　程	（単位：円）

次ページへ続く

【控除対象仕入税額】（続き）

計 算 過 程	（単位：円）

| | | 金額 | 円 |

V 差引税額の計算

計 算 過 程　（単位：円）	金額	円

VI 中間納付税額の計算

計 算 過 程	（単位：円）

| | | 金額 | 円 |

VII 納付税額の計算

計 算 過 程　（単位：円）	金額	円

MEMO

MEMO